세계적 석학들과의 인터뷰 33선

대한민국을 말하다

세계적 석학들과의 인터뷰 33선

대한민국을 말하다

초판 1쇄 발행 | 2017년 8월 30일

지 은 이 | 김환영
발 행 인 | 김영희
기획·마케팅 | 권두리
편 집 | 김민지
디 자 인 | 김은환, 한동귀
발 행 처 | (주)에프케이아이미디어(프리이코노미북스)
등록번호 | 13-860호
주 소 | (07320) 서울특별시 영등포구 여의대로 24 FKI타워 17층
전 화 | 출판콘텐츠팀 | 02-3771-0435, 영업팀 | 02-3771-0245
홈페이지 | www.fkimedia.co.kr
팩 스 | 02-3771-0138
E – mail | kmj9949@fkimedia.co.kr
I S B N | 978-89-6374-249-6 03320
정 가 | 15,000원

◈ 내일을 지키는 책 에프케이아이미디어는 독자 여러분의 원고를 기다립니다. 책으로 엮기 원하는 아이디어가 있으면 drkwon@fkimedia.co.kr로 간략한 개요와 취지를 연락처와 같이 보내주십시오.

이 도서의 국립중앙도서관 출판예정도서목록(CIP)은 서지정보유통지원시스템 홈페이지(http://seoji.nl.go.kr)와 국가자료공동목록시스템(http://www.nl.go.kr/kolisnet)에서 이용하실 수 있습니다. (CIP제어번호 : CIP2017020147)

세계적 석학들과의
인터뷰 33선

대한민국을 말하다

김환영 지음

프리이코노미북스

차례

Chapter 1

석학들, 국제질서 속 대한민국의 현주소를 말하다

Chapter 2

석학들, 강대국의 길을 말하다

Chapter 3

석학들, 대한민국의 미래를 말하다

● 책을 펴내며

세계 석학들에게 대한민국은 어떤 나라인가

이 책은 '세계 오피니언 리더들의 오피니언 리더들opinion leaders of world opinion leaders'인 세계 정상급 석학들, 공공지식인들public intellectuals의 인터뷰 기사를 묶은 것이다.

이 책에 실린 인터뷰들은 대부분 전화 인터뷰이며, 이메일 인터뷰나 대면 인터뷰는 소수다. 질문에 대한 답변을 번역하는 이메일 인터뷰가 더 쉽다고 볼 수도 있다. 장단점이 있다. 전화 인터뷰는 상호작용이 있고 즉각적이다. 인터뷰 대상의 꾸밈없는 평소 생각을 담는 데 적합하다.

항상 바쁜 인터뷰이interviewee의 시간을 아껴주겠다는 생각에 보통 15~20분, 최대 30분이면 끝나는 전화 인터뷰를 고집했다. 하지만 최근에 깨달은 게 있다. 이들 석학들은 쉽게 '빛의 속도'로 글을 쓸 수 있는 사람들이다. 그들에게 이메일 인터뷰는 전혀 부담이 아니다.

사람이 하는 모든 일이 그렇다. 모든 일은 인력人力으로 어찌 할 수 없는 인연이나 섭리의 작용이 있어야 성사된다. 바로 그렇기 때문에 사람은 최선을 다해야 하는 것 같다. 진인사대천명盡人事待天命이다. 나름 최선을 다했으나 인터뷰가 될 듯 말 듯 하다가 결국 불발로 끝난 아쉬운 경우도 몇 번 있었다.

석학들과의 인터뷰에서 한결같이 느꼈던 것은 때론 자조自嘲하고, 때론 안타까워하는 '우리나라 대한민국'에 대해 세계인들은 한 세대 만에 산업화와 민주화를 동시에 이룬 대한민국이라고 찬사를 아끼지 않았다는 점이다. 특히 그들은 대한민국이 1980년대 이후 여야 간 정권교체를 3회나 이룩한 나라라는 점을 매우 높이 평가했다.

더러 '헬조선'을 말하며 걱정하는 분들도 속마음은 그렇지 않을 것이라고 생각한다. 그분들이야말로 진정 대한민국을 사랑하는 분들이며, 답답한 현실을 안타까워하는 분들일 것이다.

이 책에는 석학들의 칭찬과 더불어 조언이나 경고도 많이 담겨 있다. 그들의 말을 무시한다면 우리나라는 그야말로 '헬조선'이 되어버릴 위험에 빠질 수 있다. 수십 년 후 그들은 대한민국이 제2의 비상을 이룩한 비결을 탐구할 수도, 아니면 추락한 경위를 따지게 될 수도 있다.

세계 석학들에게 인터뷰어가 가장 여러 번 시도한 질문은 미·중 패권경쟁의 향방과 중국의 민주화 가능성이었다. 우리 나라의 미래에 가장 큰 영향을 미칠 변수들이기 때문이다.

필자는 균형이 가장 중요한 가치라고 믿는다. 균형을 유지하면 '두 마리 토끼'를 잡을 수 있다. 우리는 앞으로 민족주의·동아시아지역주의·글로벌주의 사이에서 균형을 잡아야 한다. 국가 정책도 그렇고 개인의 삶도 그렇다. 글로벌 시대에도 민족주의는 계속 중요하다. 유럽연합의 발전 속도가 브렉시트 Brexit(영국의 유럽연합 탈퇴)로 주춤하고 있다. 하지만 동아시아 지역주의는 무시할 수 없는 미래의 가능성이다.

이 책을 읽은 독자들에게서 "세계를 보는 눈이 높아졌다"는 반응이 나오길 기대한다. 비즈니스 세계, '총성 없는 전쟁터'에서 세상의 변화를 온몸으로 앞서 체감하고 있는 이 땅의 CEO들을 비롯하여 미래의 저널리스트를 꿈꾸는 언론학이나 커뮤니케이션학 전공 학생들에게도 도움이 될 책이라고 자부한다.

이 책은 《중앙SUNDAY》, 《중앙일보》, 《포브스코리아》, 《월간중앙》, 《이코노미스트》 등에 게재됐던 기사들을 전문가들의 손길을 빌려 섬섬옥수 엮은 것이다. 살면서 신세진 분들에게 감사드리며 이 책을 바친다.

2017. 8
김 환 영

대한민국을
말하다

30

Chapter 1

석학들, 국제질서 속 대한민국의 현주소를 말하다

세계와 자신의 발전 경험을 공유하는 나라, 한국 _**로버트 졸릭**

경제적 성공을 정치적 성공과 결합시킨 대단한 나라 _**조지프 나이**

개방·세계화 정책에서 후퇴하지 말라 _**게리 베커**

한국은 인정사정없는 사회다? _**기 소르망**

보수·진보 진영 논리가 작용하지 않는 분야, 한국 교육 _**어맨다 리플리**

한국인의 에너지, 그 밑에는 성공 향한 불안감이… _**에이미 추아**

한국인과 유대인은 배움에 대한 경의가 엄청나다 _**로버트 루트번스타인**

한국이 중·일과 이웃한 건 때론 축복, 때론 저주 _**재러드 다이아몬드**

'동북아국가연합'의 통합 촉진자가 돼라 _**키쇼르 마부바니**

한·일관계 신뢰 회복이 동북아 안정·평화의 핵심이다 _**애런 프리드버그**

미·일과 강력한 관계 유지하고 중국과는 서로 믿을 제도적 장치를… _**로버트 코헤인**

세계와 자신의 발전 경험을 공유하는 나라, 한국

로버트 졸릭
전 세계은행 총재, 골드만삭스 국제자문위원회 의장

“역사라든가 강대국 사이에 낀 지정학적 조건 때문에 우려가 있다는 것을 이해한다. 그러나 한국은 세계와 자신의 발전 경험을 공유하는 나라다. 세계은행 등 국제기구에서도 훌륭한 파트너다. 한국의 근심은 싱가포르에서도 발견된다. 뒤처지지 않을까 하는 근심은 좋은 것이다. 그러나 한국에 필요한 것은 근심보다는 지금까지 잘해 왔다는 긍지다.”

●●●●

일부 정치학자는 기원전 5세기 펠로폰네소스전쟁이 '투키디데스 함정Thucydides Trap' 때문에 발발했다고 지적한다. 아테네의 부상에 대해 스파르타가 느낀 불안감이 전쟁의 원인이라는 것이다. 로버트 졸릭 전 세계은행 총재는 투키디데스 함정을 인용하며 미국은 21세기의 스파르타가 될 의사가 없음을 확실히 한다. 미국이 중국에 바라는 것은 대화, 협력, 번영이라는 것이다. 그는 또 한반도 통일 문제에서 추론은 금물이지만, 확실한 것은 통일의 주역은 한국 국민이라고 강조하고, 현시점에서 한국과 미국은 중국과 더불어 '일어날 수 있는 사태eventualities'에 대해 논의해야 한다고 지적했다.

한반도 통일 문제에서 추론은 금물

김환영 모든 변화는 불안정 요소다. 한국의 통일도 불안정을 가져올 수 있다. 중국 입장에서 불안정 상황에도 불구하고 한반도 통일로부터 얻을 것은 무엇인가.

로버트 졸릭 한반도 통일 문제에서 추론은 금물이다. 확실한 것은 통일의 주역은 한국 국민이라는 것이다. 나는 1989~1990년 기간 중 독일의 통일과정에 관여할 기회가 있었다. 독일의 통일이 달성된 이유는 동독 사람들이 서독 사람들과 하나가 되기를 바랐기 때문이다. 현시점에서 한국과 미국은 중국과 더불어 '일어날 수 있는 사태'에 대해 논의해야 한다. 북한 핵무기 처리, 난민 문제 등에 대해서 말이다. (중국이 무엇을 얻을 것인가가 아니라) 한국이 어떻게 통일의 주역이 될 것인가가 중요하다. 중국의 주된 관심사는 안정이다. 특히 북한 붕괴 시 난민들이 중국으로 대량 이주하는 것을 막는 것이다.

김환영 북한은 중동에 묶여 있는 미국이 두 개의 전쟁을 할 수 없다고 믿는 것은 아닌가. 또한 북한의 주된 관심사는 미국 주도의 세계 자본주의와 싸우는 게 아니라 자국의 생존이 아닐까. 그렇게 보면 북한발 위협은 과장됐다.

로버트 졸릭 이 논의의 출발점은 북한의 생각이나 논리를 이해하기 힘들다는 것이다. 내가 아는 대부분의 중국과 한국 인사들도 모르겠다고 한다. 김정은 리더십의 등장과 그와 대對군부 관계의 불확실성으로 문제가 더 복잡해졌다. 전쟁의 가능성을 고려하면 안 된다. 북한이 폭력과 위협을 사용하지 못하게 하는 게 진짜 이슈다. 군사적 능력만 고려한다면 한국과 미국이 북한의 구조를 바꿀 능력이 있다. 그러나 한국과 미국은 북한을 공격하지 않을 것이다. 미국과 중국의 핵심 목표도 전쟁을 하지 않는 것이다. 북한에 달렸다.

미국이 중국에 바라는 것은 대화, 협력, 번영

김환영 미국과 영국은 평화롭게 패권을 이양했다. 미국과 중국도 그렇게 할 수 있지 않을까.

로버트 졸릭 영국의 경우 북반구·남반구의 안보와 항로를 미국에 이양했다. 한국, 일본이나 동남아 국가들이 미국과 중국 사이의 안보, 항로 이양에 만족할지에 대해서는 확신할 수 없다.

김환영 G2를 달리 표현하면 미·중 공동패권bigemony이다. G2는 단계를 거듭하며 진화할 것인가. G2의 예상 수명은.

로버트 졸릭 미국과 중국이 협력하면 국제사회 다른 나라들이 동참할 것이며 무역, 환율 등의 문제에서 양국이 충돌하면 국제체제가 '교통 체증'을 겪을 것이다. 그러나 미국이나 중국만 고려하는 것은 적절하지 않다. 동아시아만 봐도 일본은 여전히 중요 강국이다. 한국만 해도 10대 경제강국이며 군사력도 상당하다. 동남아국가연합(아세안) 국가들도 영향력이 있다. 미국과 중국이 어떻게 협력할 것인지도 중요하지만, 미국 입장에서는 수십 년간 형성된 동맹관계도 중요하다.

김환영 중국이 민주화되면 과연 좋기만 할까. 최근 일본이 공세적으로 나오는 것은 결국 선거정치 때문이 아닌가.

로버트 졸릭 중국인은 자신들의 경로와 방식으로 민주화될 것이다. 중국 정치의 미래는 중국인이 결정하는 것이라고 전제하고 말하자면, 민주 중국이 결코 국제사회에 위협이 되지 않을 거라고 본다. 대만의 중국인은 민주주의를 실현했다. 한국도 북한의 위협 때문에 민주주의를 이룰 수 없다는 말이 80년대에 있었다. 그러나 한국도 민주주의 국가가 되지 않았나. 나는 한국이 민주화되어 잘된 것처럼 중국이 민주화되는 게 좋다고 본다.

경쟁력 있는 경제를 유지하면 새로운 가능성이 열릴 것

김환영 한국경제는 어떻게 평가하는가. 한국인은 걱정이 많다.

로버트 졸릭 역사라든가 강대국 사이에 낀 지정학적 조건 때문에 우려가 있다는 것을 이해한다. 그러나 한국은 세계와 자신의 발전 경험을 공유하는 나라다. 세계은행 등 국제기구에서도 훌륭한 파트너다. 한국의 근심은 싱가포르에서도 발견된다. 뒤처지지 않을까 하는 근심은 좋은 것이다. 한국이 교육과 일자리를 연계하는 것은 필요하다고 본다. 여성인력 활용도 한국경제의 숙제다. 그러나 한국에 필요한 것은 근심보다는 지금까지 잘해 왔다는 긍지다.

김환영 한국은 19세기까지 사대事大라는 형식의 중국 패권을 경험했지만 현재는 많은 한국인에게 미국 패권이 더 편하다. 그런데 미국 민주당-공화당 갈등으로 되는 일이 없는 것 같아 걱정스럽다.

로버트 졸릭 패권보다는 동맹이라든가 파트너십이라는 말을 써 달라. 또한 미국 정부만 보지 말고 미국 사회를 보라. 에너지 분야만 해도 정부가 아니라 기업에 맡겨놓고 보니 미국은 2020년까지 에너지 자립국가가 될 것으로 예상된다.

김환영 정치인들은 일자리를 약속하지만 집권하면 약속을 지키지 못한다. 양국에서 명문대 출신들도 일자리 걱정을 한다. 경제와 관련해 전 세계가 아이디어의 빈곤에 봉착한 것은 아닌가.

로버트 졸릭 전혀 그렇지 않다. 경쟁력 있는 경제를 유지하면 새로운 가능성이 반드시 열린다. 과거의 경제사가 우리에게 알려주는 진리다.

경제적 성공을 정치적 성공과 결합시킨 대단한 나라

조지프 나이
미국 하버드대 석좌교수

> 한국은 '대단한 성공 스토리'를 지닌 국가다. 가난한 나라였던 한국은 경제협력개발기구 회원국, 주요 20개국 회의의 호스트가 됐을 뿐만 아니라 경제적 성공을 정치적 성공과 결합했다. 정치권력이 선거결과로 바뀌는 효과적인 민주주의를 발전시킨 것이다. 이 같은 한국의 성공 스토리는 다른 나라들을 끌어당기는 능력을 주는 강한 소프트파워의 원천이다.

●●●●

미국이 테러와의 싸움을 제대로 수행하려면 군사력과 경제력만으로는 충분하지 않다. 세계의 나머지로부터 공감을 얻어내야 한다. 이런 주장을 하면서 '소프트파워soft power'라는 개념을 제시한 게 조지프 나이 하버드대 석좌교수다. 다시 말해 '자국의 가치와 문화로 다른 나라들을 끌어당기는attract 능력'이 소프트파워다. 프린스턴대와 하버드대에서 공부한 나이 교수는 국방차관보, 국가정보위원회NIC 위원장, 하버드대 케네디스쿨 원장으로 일했다.
나이 교수가 제시한 '스마트파워smart power'도 오바마 행정부가 애용하던 외교, 안보 용어다. 스마트파워는 군사력, 경제력으로 구성된 '하드파워hard power'와 소프트파워를 승리를 위한 전략으로 결합하는 능력이다.
조지프 나이 교수는 10개국 1,700명의 국제정치학자를 대상으로 한 2008년 설문에서 미국 외교정책에 가장 큰 영향력을 미치는 학자로 선정됐다. 36%를 받아 새뮤얼 헌팅턴Samuel Huntington(35%)과 헨리 키신저Henry Alfred Kissinger(16%)를 앞선 것이다. 영국 《인디펜던트The Independent》는 2011년 5월 23일 나이 교수가 출간한 『권력의 미래The Future of Power』를 소개하며 "영국에는 왜 나이 교수 같은 인물이 없을까"라는 질문을 던졌다.

김환영 미국 정책 결정자들은 9·11 이후의 국면에 잘 대처했는가.

조지프 나이 잘 대처한 면이 있고 그렇지 않은 면이 있다. 보안절

차를 향상시켜 9·11 같은 사태의 재발 가능성을 줄인 것은 잘 한 일이다. 알카에다Al-Qaeda의 활동을 억제하고 빈 라덴Bin Laden을 사살한 것, 국내 안보를 개선한 것도 성공적이다. 그러나 조지 W. 부시George W. Bush 행정부는 이라크를 침공함으로써 엄청난 전략적 오류를 범했다. 미국의 하드파워와 소프트파워에 손상을 입힌 이라크 침공은 불필요했다.

김환영 앞으로 미국에서 9·11의 기억과 교훈은 희미해질 것인가.

조지프 나이 9·11의 기억과 교훈이 완전히 사라지지는 않을 것이다. 그러나 테러에 대한 우려는, 예컨대 9년 전에 비해 약해졌다. 공포와 불안의 정도는 줄었지만 미국인들이 공항에 갈 때마다 느끼는 것처럼 위협의 기억이 남아 있다.

김환영 미국은 9·11 이후 본격화된 대對테러 전쟁에서 승리하고 있는가. '아랍의 봄'으로 미국은 중동지역에서 더 많은 소프트파워를 갖게 됐는가.

조지프 나이 미국은 알카에다와 대결에서 진전을 이뤘다. 중요한 일이다. 그러나 테러주의는 끝나지 않았다. '아랍의 봄'은 빈 라덴의 어젠다와 다른 방향에서 아랍권의 변화를 가져오고 있다. 결과적으로 알카에다를 약화시킨 것이다.

김환영 국제관계에서 권력이 다차원적이 됐다는 이야기도 있지만 경제력이 가장 중요한 게 아닌가. 정책결정자들은 문화 국력이나 소프트파워보다 경제력 증강에 집중해야 하는 게 아닐까.

조지프 나이 그렇지 않다. 모든 것을 경제문제로 좁혀보는 것은 사람들이 흔히 범하는 실수다. 모든 시장은 정치적인 틀framework에 의존한다. 정치의 틀에 영향을 주는 것은 군사력, 법과 질서, 문화적 규범 같은 것들이다. 한 가지의 힘만이 지배적이라고 생각하는 것은 잘못이다. 경제력, 군사력, 소프트파워가 모두 중요하다.

미·중 패권 나눠야 경제, 기후 문제 해결

김환영 아시아에서 소프트파워는 무슨 의미를 갖는가.

조지프 나이 소프트파워가 모든 문제를 해결하는 것은 아니다. 예컨대 소프트파워는 북한의 핵개발 계획을 바꾸게 하지 않을 것이다. 그러나 아시아 지역에서 소프트파워가 역할을 수행하고 있다는 사실을 간과할 수 없다. 후진타오胡錦濤 주석이 2007년 전국인민대표대회에서 행한 연설 이후 중국은 소프트파워 증진을 위해 수십억 달러를 지출하고 있다. 소프트파워는 모든 문제를 해결할 수는 없지만 국가이익 추구에 필요한 도구 중 하나다.

김환영 친미정책이 소프트파워 증진에 도움이 되는가.

조지프 나이 나라마다 소프트파워의 원천이 다르다. 소프트파워가 친미적일 필요는 없다. 예컨대 이란은 시아파 이슬람 신자들에게 소프트파워를 갖고 있다. 미국에 대항하는 소프트파워다. 소프트파워와 관련해 이란과 미국은 중동에서 경쟁하고 있다. 소프트파워는 '제 눈에 안경'이다. 소프트파워를 행사하려는 대상에 따라 달라지는 것이다. 유리한 결과를 얻기 위해 행사하는 소프트파워는 나라나 지역에 따라 다를 수 있다.

김환영 국제정치학의 신현실주의neo-realism에 따르면 국제체제의 구조가 국제정치에 가장 큰 영향을 미치는 요인이다. 소프트파워는 구조의 영향을 무력화시키거나 줄일 수 있나.

조지프 나이 신현실주의자들은 세계의 본질을 지나치게 단순화시켰다. 물론 구조가 중요하고 군사력이 중요하다. 그러나 이외에도 중요한 것들이 있다. 신현실주의는 냉전의 종식과 같은 역사의 대변화를 잘 설명하지 못했다. 신현실주의는 유용하지만 설명의 일부만을 제공한다.

김환영 권력은 공유할 수 있는가. 미국은 동맹국들이나 중국과도 권력을 나눌 수 있나.

조지프 나이 절대적으로 그렇다. 권력이 한쪽은 이기고 다른 쪽은 지는 '제로섬 게임zero-sum game'이라고 생각하는 경우가 있다. 그러나 권력에도 '포지티브섬 게임positive-sum game'이 있다. 바라는 결과를 얻기 위해선 다른 나라들과 협력해야 한다.

김환영 '미국과 중국이 패권을 공유하는 상호의존bigemonic interdependence'의 시대가 개막할 것인가.

조지프 나이 국제금융의 안정과 기후변화 같은 문제를 다루기 위해서는 미국과 중국이 협력하는 게 필수적이다. 단독 행동으로 성취할 수 없다. 그러나 많은 사람들이 중국의 성장에 대해 과장하고 있다. 나는 2011년 출간한『권력의 미래』에서 중국이 미국을 앞서지 못할 것이라는 것을 시사하는 팩트와 통계에 대해 자세히 서술했다. 중국은 '한 자녀 정책'을 점진적으로 완화할 것이라고 본다. 인구학적 문제가 악화돼 경제성장을 둔화시킬 것이기 때문이다.

김환영 중국이나 북한 같은 나라들에도 서구식 민주주의는 운명인가.

조지프 나이 매우 장기적인 관점에서 보면 대부분의 나라에 민주주의가 운명적이라고 상상할 수 있다. 그러나 사우디아라비아 같은 나라들을 보면 문화적 배경이 매우 다르다. 중국의 민주화도 한 세기가 걸리는 매우 느린 과정이 될 가능성이 크다. 중국 민주주의 또한 문화적 바탕의 변화에 달렸다.

한국의 민주화 경험은 소프트파워의 원천

김환영 한국에 무엇을 권하겠는가. 한국은 세계정세의 작은 변화에도 큰 영향을 받을 수 있는 나라인지도 모른다.

조지프 나이 한국은 '대단한 성공 스토리a great success story'를 가졌다. 가난한 나라였던 한국은 경제협력개발기구OECD 회원국이자 주요 20개국G20 회의의 호스트가 됐을 뿐만 아니라 경제적 성공을 정치적 성공과 결합했다. 정치권력이 선거결과로 바뀌는 효과적인 민주주의를 발전시킨 것이다. 한국의 성공 스토리는 다른 나라들을 끌어당기는 능력을 주는 강한 소프트파워의 원천이다. 물론 한국은 매우 위협적일 수 있는 북한 정권으로부터 스스로를 보호하기 위해 하드파워를 유지해야 한다. 한국의 군사력과 경제력도 중요하지만 한국의 민주주의와 인권옹호 전통도 다른 나라들을 끌어당기는 소프트파워다.

김환영 중국이 계속 성장하고 미국과 중국의 관계가 적대적이 된다면 한국은 중립을 지켜야 하는가, 아니면 일본 등 다른 민주국가들과 함께 미국 편을 들어야 하는가.

조지프 나이 한국은 미국 편이 돼야 얻을 것이 더 많다. 중국은 국경을 접하고 있는 거인이고 미국은 멀리 떨어져 있는 거인이라는 의미에서 본다면 그렇다. 멀리 떨어져 있는 거인이 바로 붙어 있는 거인보다 안전하다.

김환영 유럽에서 30년전쟁(1618~1648)을 끝낸 베스트팔렌조약(1648) 이래 주권국가들이 무력을 독점하는 국제사회가 유지됐다. 수십 년 내에 이를 탈피하는 포스트베스트팔렌post-Westphalian 국제체제가 도래할 가능성이 있나.

조지프 나이 베스트팔렌 체제는 이미 침식되고 있지만 포스트베스트팔렌 세계는 보이지 않는다. 여전히 주권국가가 글로벌 정치의 중심이다. 그러나 '비국가행위자non-state actors'의 역할이 증대하는 것은 이번 세기에서 벌어지고 있는 대규모 전환이다. 국제체제에서 비국가행위자가 민족국가를 대체하고 있지는 않지만 비국가행위자는 글로벌 정치의 무대를 훨씬 더 비좁게 만들고 있다. 이는 민족국가를 제약하는 요인이다.

김환영 테러집단 같은 비국가행위자가 국제평화와 안보에 가장 큰 위협이라면 소프트파워, 스마트파워보다는 '감시파워 surveillance power'가 가장 중요하지 않나.

조지프 나이 테러에 대처하기 위해서는, 예컨대 첩보활동 능력이 매우 중요하다. 알카에다 활동을 저지하는 데 감시나 첩보 능력이 중요하다는 것은 절대적으로 옳은 말이다. 하지만 다른 중요한 질문은 '어떻게 알카에다가 새로운 멤버를 모집하는 것을 막을 것인가'이다. 답은 소프트파워다. 알카에다가 새로운 단원을 충원하는 것을 막기 위해 미국은 주류 이슬람 신자들의 가슴과 마음을 얻을 수 있는 능력을 갖춰야 한다. 소프트파워가 없어 하드파워로 테러범들을 죽이면 죽일수록 더 많은 새로운 테러범들을 양산할 뿐이다. 주류 이슬람 신자들을 끌어당겨 테러 자원을 원천적으로 소진시키는 게 효과적인 대테러 전략이다.

개방·세계화 정책에서 후퇴하지 말라

故 게리 베커
미국 시카고대 경제학과 교수

"나는 경제학자들이 한국, 중국, 인도 등 국가들의 발전에 크게 기여했다고 자신한다. 지난 40년간 세계에서 빈곤은 줄고 진보가 이룩됐다. 우리가 겪은 금융위기에 대해 나를 포함해 경제학자들이 일정 부분 책임이 있다. 이를 감안하더라도 경제학자들이 인류에 공헌했으며 그들의 도움으로 많은 사람이 가난에서 벗어났다는 사실은 부정할 수 없다."

●●●●

게리 베커(1930~2014) 교수는 미국 시카고대의 '수석 석좌교수', 즉 'university professor'였다. 이는 시카고대에서 최고의 명예로운 호칭이다.
1930년 12월 2일 펜실베이니아 포츠빌에서 출생하였다. 1955년 시카고대에서 박사학위를 취득하고, 1969년 동 대학 교수가 되었다. 미시경제의 분석영역을 폭넓은 인간행동과 상호작용에까지 확대한 공로로 1992년 노벨경제학상을 받았다. 2014년 83세의 일기로 사망했다.
그는 시카고학파의 거두 중 한 사람으로, 경제연구에서 미시경제학과 거시경제학의 구분은 타당하지 않으며 오직 인간행위 분석을 위한 경제이론만이 존재한다고 주장하였다. 주저인 『인간자본Human Capital』에서는 인간을 자본으로 설정하고, 그 질을 높이기 위해서는 국가가 교육에 중점을 두어야 한다고 주장하였다.

김환영 2008년 경제위기는 조지 W. 부시 행정부 책임인가. 미국 민주당을 중심으로 그런 비난이 나오고 있는데….

게리 베커 책임의 정도는 빌 클린턴Bill Clinton 행정부와 비슷하다고 생각한다. 일방의 책임이 더 큰 것은 아니다. 두 행정부 모두 몇 가지 실책을 범했다. 예컨대 상환능력이 없는 가구에 대출이 확대되는 것을 방치했다. 시장에서 신뢰가 상실됐을 때 새로운 금융기법이 미칠 파장에 대한 이해가 부족했다. 특정 행정부를 비난할 생각은 없다.

김환영 경제위기 극복을 위해 정부는 무슨 일을 해야 하나.

게리 베커 금융위기는 항상 있어 왔다는 인식을 갖는 게 중요하다. 금융위기 시 정부는 중앙은행을 통해 최종 대부자lender of last resort과 같은 적극적 역할을 해야 한다. 현재 미국, 유럽연합, 일본에서 그렇게 하고 있고 새로울 게 없다. 뱅크런bank run(예금 대량인출), 유동성 자산 부족 등의 현상도 과거에 있었다. 이번 위기를 너무 새롭게만 봐서는 안 된다. 그렇게 보면 정부는 경제에 불필요한 개입이나 시도를 해보려는 유혹에 빠질 수 있다. 정부는 그런 유혹을 이겨내야 한다.

김환영 어떤 나라들이 다른 나라들보다 빨리 경제위기를 극복할 수 있나.

게리 베커 내 판단으로는 중요하지 않은 질문이다. 세계는 상호의존적이기 때문이다. 아직 세계에서 가장 중요한 경제행위자인 미국이 위기를 극복하는 것이 중요하다. 이에 못지않게 유럽연합이 위기를 극복하는 게 중요하다. 우선 미국과 유럽연합에서 불을 끄는 게 세계 다른 나라에도 도움이 된다.

김환영 대선 후보들은 변화를 내세우는 경향이 있다. 그런 주장은 어떤 경제적 함의를 지내고 있는가.

게리 베커 미국 경제체제의 경우 붙박이처럼 각종 안전장치가 내재돼 있다. 누구건 신임 대통령이 경제나 정치체제를 급진적으로 바꾸는 것은 쉽지 않다. 민주당은 보통 정부 활동 증대, 규제 강화, 지출 확대 같은 경제정책을 내세우는 데 나는 바람직하지 않은 방향이라고 본다. 공화당은 보통 세금을 줄이고 경쟁과 자유무역을 선호한다.

권력은
나눠 갖는 게 좋다

김환영 미국이나 한국이나 여소야대 상황이 벌어지는 경우가 있다.

게리 베커 같은 당이 행정부와 의회를 모두 장악하는 것은 바람직하지 않다고 본다. 권력은 나눠 갖는 게 좋다. 의회를 민주당이 장악하는 게 확실한데 행정부까지 같은 당이 장악하는 것은 바람직하지 않다. 미국의 경우 행정부와 의회를 같은 당이 장악하는 경우 결과가 좋지 않았다는 게 내 평가다.

김환영 행정부가 강력한 리더십을 행사하려면 좌우동거나 여소야대는 나쁜 게 아닌가.

게리 베커 미국에서는, 또 나는 그렇게 생각하지 않는다. 개인의 역량이 경제활동의 중심이 되고 정부는 윤활유 역할을 하는 게 자본주의 경제체제다. 정부가 너무 강하게 되면 그 결과는 항상 부패다. 미국과 한국은 그런 경험을 했다. 미국의 국가 운영체제는 견제와 균형checks and balances을 기조로 한다. 미국에서 헌법이 제정된 이후부터 항상 그래 왔다. 견제와 균형은 앵글로색슨적 정치철학이며 나는 이를 지지한다.

김환영 한국경제에서 최대의 장점과 약점은.

게리 베커 한국은 장점이 많은 나라지만 최대의 장점은 인적자본이 발전했다는 점이다. 한국은 세계에서 대학교육을 받은 인구 비율이 가장 높은 나라 중 하나다. 미국·일본·한국 등 모든 사례에서 확인되는 바는 국민의 자질이 장기적인 경제적 성공을 결정한다는 점이다. 기업가들의 능력이 뛰어난 것도 장점이다. 한국의 약점이라기보다 한국에 최대의 도전이 되는 문제는 개방과 세계화로 인해 세계경기 부침의 영향을 받는다는 점이다. 개방과 세계화 자체는 좋은 일이며 불가피하다. 나는 한국 전문가는 아니지만 한국의 정치 또한 선거에 의한 정권교체가 이룩되는 등 굳건한 민주주의가 잘 작동하고 있다. 나는 한국을 세 번 방문했는데 갈 때마다 한국에 대해 매우 좋은 인상을 받았다.

좋은 경제학자가 되려면 경제분석 기사나 칼럼을 읽어라

김환영 세계에서 가장 뛰어나고 저명한 경제학자 중 한 사람으로서 장차 경제학자가 되려는 한국 학생들에게 해주고 싶은 말은.

게리 베커 수학, 통계학, 역사학 기초가 탄탄해야 한다. 좋은 경제학자가 되는 데 가장 중요한 점은 경제학의 기술적 도구들을 활용해 세상과 사람들이 어떻게 움직이는지 이해할 수 있는 능력을 키우는 것이다. 내가 한국의 젊은 학생이라면 신문을 읽겠다. 특히 신문에 나오는 경제분석 기사나 칼럼을 읽으며 내가 아는 것에 비추어 어떤지 살펴보겠다.

김환영 경제학이 과연 유용하고 실효성 있는 아이디어를 제공하고 있는지에 대한 의문은 없는가.

게리 베커 경제학자들이 좋은 아이디어를 제공해 왔다는 점에 대해서는 의문의 여지가 없다. 경제학자들은 시장과 경쟁이 세상에 이롭다는 것을 전제로 수많은 기여를 해왔다. 1960년대 이전의 한국, 1980년대 이전의 중국, 1990년대 이전의 인도를 되돌아보라. 나는 경제학자들이 한국, 중국, 인도 등 국가들의 발전에 크게 기여했다고 자신한다. 지난 40년간 세계에서 빈곤은 줄고 진보가 이룩됐다. 우리가 겪은 금융위기에 대해 나를 포함해 경제학자들이 일정 부분 책임이 있다. 이를 감안하더라도 경제학자들이 인류에 공헌했으며 그들의 도움으로 많은 사람이 가난에서 벗어났다는 사실은 부정할 수 없다.

한국은 인정사정없는 사회다?

기 소르망
전 프랑스 파리정치학교 경제학 교수, 문명비평가

> 한국은 경제성장기에 모두가 부의 축적에 몰입하는 가운데 '인정사정없는' 나라가 됐다. 사회가 분열됐다. 사회적 연대가 없다. 아무도 소외계층을 진정으로 걱정하지 않는다. 한국의 문화, 기독교와 불교에는 박애의 바탕인 후함의 전통이 있다. 한국은 이제 박애로 사회적 연대를 복원하고 사회문제를 해결해야 할 단계에 돌입했다.

●●●●

기 소르망은 세계적인 공공지식인이다. 1944년 프랑스에서 태어난 그는 엘리트 관료의 산실로 유명한 국립행정학교ENA를 졸업했고 스탠퍼드대, 베이징대, 모스크바대에서 교수로 활동했다. 이명박 정부에서는 빌 게이츠Bill Gates 마이크로소프트 회장 등과 더불어 청와대 국제자문단 고문으로 임명됐다.

그는 정치사회학·경제학·비교문명학 분야에서 18개 언어로 번역된 20여 권의 책을 집필했다. 한국에 대한 관심과 애정이 각별한 그가 미국의 기부문화와 박애주의를 다룬 『세상을 바꾸는 착한 돈Le coeur americain』을 펴냈다. 그에게 기부란 무엇이며 선진 기부문화를 한국에 어떻게 이식시킬 수 있는지 물었다. 그는 "이 책을 쓰기 전까지는 사회를 보는 내 시각이 근시안적이었다"고 말했다.

김환영 왜 박애인가.

기 소르망 정부, 시장과 더불어 박애philanthropy는 사회의 3대 기둥이다. 시장과 정부는 각기 이윤과 권위의 영역이다. 하지만 선의goodwill에 바탕을 둔 박애 또한 삶의 중심이다. 박애는 미국 경제의 10%를 차지한다. 시간이나 돈을 기부하지 않는 미국인은 미국인이 아니다. 유럽의 복지국가는 박애 부문을 파괴했다. 복지국가가 파산한 지금, 박애를 재발견하고 복원해야 한다.

김환영 박애가 한국에는 어떤 적실성이 있나.

기 소르망 한국도 복지국가의 실패를 반복하지 않기 위해 박애가 필요하다. 한국은 정부, 기업, 박애 중에서 정부와 기업은 잘 발달했으나, 박애는 약하다. 한국은 대기업이 박애를 주도하고 있는데, 홍보전략 차원의 박애는 진정한 박애가 아니다. 개인이 나서야 한다. 문제는 정부가 개인을 믿지 않는다는 점이다. 박애를 발전시키려면 세제혜택도 중요하지만 정부가 겸손해져야 한다. 정부가 모든 문제를 해결할 수 있다는 생각을 버려야 한다.

한국은 경제성장기에 모두가 부의 축적에 몰입하는 가운데 '인정사정없는brutal' 나라가 됐다. 사회가 분열됐다. 사회적 연대solidarity가 없다. 아무도 소외계층을 진정으로 걱정하지 않는다. 한국의 문화, 그리스도교와 불교에는 박애의 바탕인 후함generosity의 전통이 있다. 한국은 이제 박애로 사회적 연대를 복원하고 사회문제를 해결해야 할 단계에 돌입했다.

김환영 국가가 못한 것을 박애가 이룰 수 있나.

기 소르망 박애의 좋은 점은 완벽하게 개인의 선택에 기초한다는 것이다. 누구도 간섭하지 않는다. 예컨대 야생 거위를 보호하는 활동을 하고 싶다면 그렇게 하면 된다. 오늘날 사회는 누구도 해결책을 제시하지 못하는 수많은 문제에 직면했다. 시행

착오를 거듭하며 새로운 것을 시도할 수 있는 것은 박애 부문의 비정부기구NGO 단체들뿐이다.

영국의 총리 윈스턴 처칠Winston Churchill은 "여러분은 실패할 권리가 있습니다"라고 말했다. 하지만 정부나 기업은 실패할 권리가 없고, 성공할 의무만 있다. 마약중독자를 위한 프로그램이 실패하면 정부는 실패를 인정하지 못한다. 고작 '예산이 부족했다'고 변명한다. 정부는 해결책을 내놓을 상상력이 없다. 기업도 주주들에게 '우리는 실패했습니다'고 말할 수 없다. 조지 소로스George Soros는 '나는 실패하지 않는다. 내가 틀리는 경우는 있다'라고 우긴 바 있다.

김환영 박애 문제가 대두될 때 한국에서는 프랑스 표현 '노블레스 오블리주noblesse oblige'를 자주 인용한다. 프랑스에서도 그런가.

기 소르망 그렇다. 미국은 약간 다르다. 프랑스 사람이 사업으로 성공하면 '내가 최고라서 성공했다. 박애 활동에 돈을 좀 내놔야겠다'고 생각한다. 성공한 미국인들은 '나는 운이 좋았다. 그렇지 못한 사람들을 도와야겠다'고 생각한다.

김환영 그런 행운 관념의 유래는?

기 소르망 칼뱅주의다. 박애 부문은 칼뱅주의의 영향권인 미국과 북유럽에서 강하다. 칼뱅주의 문화에서는 어떤 사람이 성공한 것은 그가 잘나서가 아니라 신神이 그렇게 결정했기 때문이라고 본다.

김환영 가톨릭 사회에서도 자선이 중시되는데….

기 소르망 자선charity과 박애는 다르다. 자선은 가난한 사람에게 주는 것이다. 벤저민 프랭클린Benjamin Franklin에 따르면 박애의 목적은 사회 시스템을 바꿔 가난을 없애는 것이다. 박애는 '사회에는 가난한 사람이 있기 마련'이라고 믿지 않는다. 프랑스에서 자선사업이 퇴조한 이유는 두 가지다. 자선은 사회 시스템을 바꾸지 못했다. 또 19세기 중엽부터 강력해진 사회주의는 자선이 문제를 해결하지 못했으니 복지국가가 나서야 한다고 주장했다.

카네기는 죽었고
그가 만든 도서관은 아직도 그 자리에 있다

김환영 물고기를 주는 게 자선, 물고기 잡는 법을 가르치는 게 박애인가.

기 소르망 전적으로 동의한다.

김환영 기부에 반대하는 사람들도 있다.

기 소르망 빈민을 도우면 그들이 노력하지 않기 때문에 오히려 가난에서 벗어나지 못한다는 주장이 19세기에 팽배했다. 틀린 생각이라는 게 여러 연구로 밝혀졌다. 가난이 좋아서 자의로 가난한 사람은 없다.
마크 트웨인Mark Twain은 부자들이 명성을 얻고자 기부한다고 비판했다. 도서관이나 박물관에 새겨진 기부자의 이름은 '부자들의 낙서the graffiti of the rich'다. 앤드루 카네기Andrew Carnegie는 1,800개의 도서관을 건립했다. 카네기는 죽었고 그가 만든 도서관은 아직도 그 자리에 있다. 베풀고자 하는 마음과 허영심이 공존하는 게 사람이다. 의도보다는 결과가 중요하다.

보수·진보 진영 논리가 작용하지 않는 분야, 한국 교육

어맨다 리플리
미국 에머슨콜렉티브 선임연구원

> 한국을 방문했을 때 한 가지 강한 인상을 받은 게 있다. 한국에서 만난 아이들은 내가 다른 나라에서 만난 그 어떤 아이들보다도 쾌활했다. 그들은 생명력으로 가득했다. 나를 만나 이야기한다는 사실에 들떠 있었다. 하지만 내가 학교 얘기를 꺼내자 아이들의 얼굴에서 웃음이 사라졌다.

●●●●

새로운 교육구상이 발표될 때마다 학생과 학부모는 걱정이 앞선다. '백년대계百年大計'라는 교육이 사람이 바뀔 때마다 이랬다저랬다 하는 탓이다.

우리가 한꺼번에 잡아야 하는 '두 마리 토끼'는 첫 번째 현재 세계 최고인 자랑스러운 우리 학생들의 학업 성취도를 유지하는 것, 두 번째 '학습고통'을 덜어주는 것이다. 국가적 지혜를 총동원하고 다양한 의견을 취합하면 '두 마리 토끼'를 모두 잡을 수 있는 길이 있을 것이다. 안보, 교육 분야에서는 보수·진보 진영 논리가 작용하면 안 된다.

도대체 대한민국 교육엔 어떤 문제가 있는 것일까. 학부모나 학생 눈에는 온통 문제점 투성이겠지만 제3자의 눈엔 달리 비칠 수도 있다. 우리 교육의 현주소를 보다 객관적으로 보기 위해 어맨다 리플리 에머슨콜렉티브 선임연구원을 인터뷰했다. 2013년 여름 출간된 그의 『무엇이 이 나라 학생들을 똑똑하게 만드는가The Smartest Kids in the World』는 미국 교육계에 상당한 충격을 준 바 있다.

김환영 한국 교육의 장단점은 무엇인가.

어맨다 리플리 지나친 스트레스, 시험 점수에 매달리는 것, 암기 교육 등이 문제지만 그보다 많은 학생들이 읽기, 수학, 과학에서 세계 최고 성취도를 자랑한다는 점은 높이 살 만하다.

한국은 '과대 평가'
미국은 '과소 평가'

김환영 미국과 비교하면 어떤가.

어맨다 리플리 한국 교육체제는 학생들을 '과대 평가'하는 경향이 있다. 미국 체제는 반대로 '과소 평가'한다. 특히 수학의 경우 미국에서는 타고난 재능이 있어야 잘할 수 있다고 생각한다. 한국에서는 유전적인 요인과는 상관없이 열심히 공부하고 연습하면 수학을 잘할 수 있다고 본다. 한국은 저소득층 학생들의 성과도 뛰어나다. 한국의 저소득층 학생의 13%는 국제학업성취도평가PISA 시험 결과 상위 25%에 든다. 미국 학생들의 경우는 5%에 불과하다.

한국 대입제도가 지극히 능력주의meritocracy에 충실하다는 것도 장점이다. 출신이나 가문이 아니라 특정 점수 이상만 받으면 대학에 갈 수 있다. 미국의 경우는 예컨대 아버지가 하버드대 동문이면 그 자식도 하버드대 입학 가능성이 높다. 공평하지 않다.

그런데 외국인 입장에서 보면 한국에서는 능력주의가 사회에 진출할 때에는 퇴색하는 것이 아닌가 하는 생각이 든다. 한국의 톱5 대학 졸업장만 있으면 자신의 능력을 계속 증명할 필요가 절실하지 않기 때문이다. 졸업장이 실제 업무 성과보다 더 가치 있다고 통하는 것은 아닌지…. 물론 나는 외부 사람이기 때문에 이러한 관찰이 틀렸을 가능성이 있다.

김환영 좀 더 비판적으로 평가해 달라.

어맨다 리플리 한국의 교육체제를 어떻게 해석해야 할 것인지는 아주 어려운 문제다. 너무나 많은 상반되는 모습이 공존하는 체제다. 그래서 더욱 한국은 내 마음을 사로잡았다.

우선, 한국은 미국에 '멋진 영감beautiful inspiration'을 주는 모델이다. 학생들이 열심히 공부하도록 독려하는 모델이다. 특히 수학과 과학에서 스스로를 더 높은 단계로 끌어올리게 하는 모델이다. 미국 부모들이 상상하는 것 이상으로 자녀들의 실력 향상이 가능하다는 것을 한국 교육이 보여준다. 한국 학생들은 공부 차원을 뛰어넘어 인생 차원에서 어려움에 대해 배운다. 가끔은 실패하고 또 훌훌 털고 일어나 다시 시도하는 것도 배운다. 그러한 인내는 지능지수IQ보다 더 소중한 것이다. 아이들이 어른이 돼 살아가는 데 평생 도움이 된다.

그러나 이면을 들여다보면 한국의 교육은 학생들을 기진맥진하게 만든다. 그 시스템은 '교육 에베레스트'의 꼭대기로 올라가기 위한 매우 비효율적인 방법이다. 산을 올라가는 방법에는 여러 가지가 있다. 보다 쉽고 보다 '훈훈한humane' 방법이 있는 것이다.

김환영 그렇다면 한국 교육이 본받아야 할 모델은.

어맨다 리플리 전체는 아니지만, 미국 학교 중 일부는 교육의 엄격성과 창의성이 균형 잡혀 있다. 게다가 그런 학교에서는 학생들이 즐겁게 공부하는 가운데 높은 학업성취 수준에 도달한다. 나라 차원의 모델을 살펴본다면 한국과 마찬가지로 PISA 시험 결과로 상징되는 학업성취가 좋지만 방과 후 과외비율도 낮은 핀란드, 캐나다, 폴란드 등이 흥미롭다.

김환영 미국은 대중교육이 문제지만, 대학원 교육 등 엘리트 교육은 세계 최고 수준이다.

어맨다 리플리 미래를 예측하는 것은 어렵지만, 현재 교육체제로는 미국이 경쟁력을 유지할 수 없다고 본다. 지금도 미국은 세계의 나머지 국가들에 대해 여러 경제적 우위를 지니고 있지만, 우위요소가 점점 줄고 있다. 다른 나라들은 전진했는데 미국은 같은 자리에 머물렀다.
과거에는 경제적 우위 덕분에, 예컨대 15세 미국 학생들의 실력이 선진국 평균에도 미치지 못한다는 게 문제가 아니었다. 특히 수학에 통달하지 않고도 안정적이고 좋은 일자리를 얻을 수 있었다. 자동화와 아웃소싱의 시대에는 그게 불가능하다. 이제 학생들은 변화에 신속하게 적응할 수 있는 보다 높은 학업수준에 도달한 다음 사회에 진출해야 한다.

김환영 한국 학생들이 1, 2위를 다투는 PISA 시험은 암기 중심인 한국 학생들에게 유리하지 않나.

어맨다 리플리 PISA 시험이 완벽하지는 않겠지만 현재로선 세계 각국 학생들의 비판적 사고 수준을 비교할 수 있는 최고의 평가 기준이다. PISA 시험은 그 어느 때보다 중요해진 문제해결 능력, 논증 능력, 판단력, 응용력 등을 측정한다. 직접 시험을 치러봤는데 그 어떤 표준화 시험보다 높은 수준의 사고를 요구하는 시험이었다. 놀라운 점은 이 시험이 직장 업무뿐만 아니라 일상생활에서 늘 수행해야 할 과제와도 관련이 깊다는 점이다. 정보량이 아주 많거나 부족할 때 리스크를 평가하는 능력도 측정할 수 있는 시험이다.

한국은 교육에 대한
부모의 역할이 두드러진 곳

김환영 유럽의 경우 부모들이 자녀들의 직업학교 진학에 호의적이다. 한국의 부모들은 대학 문호가 대폭 줄어들어 자녀들이 직업학교로 진학해야 한다면 크게 반발할 가능성도 있다.

어맨다 리플리 세계 어느 나라나 교육의 장점 그리고 교육이 처한 도전에 어떻게 대응할 것인가를 크게 좌우하는 것은 부모다. 하지만 부모의 역할이 특히 두드러진 곳이 한국이다. 직업학교가 대학만큼의 명망을 얻지 못한다면 한국 부모들이 만족하지 않을 것이라고 본다. 직업학교 교육의 수준과 명망이 높으면 학술적 스킬skill보다 실용적 스킬에 관심이 많은 학생을 유인할 수 있다. 한국의 직업 프로그램들은 미국보다 훨씬 학업성취 수준이 높다.

김환영 한국의 대학 교육은 특히 삼성, LG 등 기업들을 만족시키지 못하고 있다.

어맨다 리플리 내가 방문한 모든 나라에서 기업들은 직원들의 스킬에 불만이 있다. 회사가 필요로 하는 스킬과 직원들의 스킬 사이에는 분명히 부인할 수 없는 격차가 있다. 나라별로 격차의 대소大小가 있을 뿐이다. 하지만 이러한 격차는 '건강한' 갈등이다. 사람들의 삶과 미래에서 무엇이 중요한지 왔다 갔다 하며 끊임없이 토론하는 것은 좋은 일이다.
경제적으로 생존하고 성공하는 데 꼭 배워야 할 것들이 있다. 하지만 공동체의 건강한 일원이나 시민으로 살아가기 위해 필요한 것도 있다. 세계 모든 나라에 있는 이런 긴장이 얼마만큼 문제이며, 얼마만큼 건강한 것인지 말하기는 사실 어렵다.

김환영 미국 교육은 세계의 다른 문화에 대해 어느 정도까지 가르치는가.

어맨다 리플리 미국은 교육의 우선순위에서도 매우 자기중심적self-centered인 상태로 남아 있다. 하지만 세상은 작아졌다. 세상은 넓고도 좁은 곳이 됐다는 것을, 보다 많은 미국 사람이 자각하고 있다. 다른 나라 사람들이 무엇을 하고 있는지 무시하는 게 불가능해졌다. 미국은 천천히 바뀌고 있다고 생각한다. 세계의 다른 나라들은 오래전부터 밖을 내다보고 있다. 지금은 미국이 그래야 할 때다. 그래야 미국 국민이 잠재력을 온전히 실현할 수 있다.

김환영 한국 독자들에게 할 말이 있다면….

어맨다 리플리 한국을 방문했을 때 한 가지 강한 인상을 받은 게 있다. 한국에서 만난 아이들은 내가 다른 나라에서 만난 그 어떤 아이들보다도 쾌활했다. 그들은 생명력으로 가득했다. 나를 만나 이야기한다는 사실에 들떠 있었다. 하지만 내가 학교 얘기를 꺼내자 아이들의 얼굴에서 웃음이 사라졌다.

한국인의 에너지,
그 밑에는 성공 향한 불안감이…

에이미 추아
미국 예일대 로스쿨 석좌교수

“ 한국은 ‘우리 민족은 특별하다’는 민족 정체성, 예외주의가 강한 나라다. 하지만 일본 강점기 등을 거치며 ‘불안감’도 겪게 됐다. 가난한 신생 한국에는 아직은 세계에 보여줄 것이 없다는 불안감이 있었고, 한국의 민족 자긍심과 불안감이 합쳐졌을 때 놀라운 에너지가 분출했다. 이는 한국에서 말하는 ‘한’을 승화하는 과정이기도 했다. ”

●●●●

2014년 5월, 『트리플 패키지Triple Package』란 책이 미국 지식사회를 달구었다. 예일대 로스쿨의 부부 석좌교수인 에이미 추아와 제드 러벤펠드Jed Rubenfeld가 함께 성공의 동력을 분석한 책이다. 부모의 경제력, 교육수준, 지능, 제도 등과 무관하게 높은 학업성취와 물질적 성공을 거둔 그룹들을 분석해 공통점을 뽑아냈다.

책 제목의 'Triple'은 '3부, 3중, 3배'라는 뜻이다. 성공은 3가지가 결합돼야 한다는 주장을 담았다. 첫째는 우월감이다. 하지만 우월감만으로는 충분하지 않다. 둘째는 불안감이다. '너는 못난 놈이야'라는 말을 듣지 않을까 하는 감정을 가리킨다. 셋째는 미래를 위해 희생을 마다하지 않는 노력이다. 이 세 요소가 결합된 패키지가 성공의 조건이라는 것을 논증하기 위해 두 교수는 방대한 사례와 문헌을 섭렵했다.

외교전문지 《포린폴리시Foreign Policy》가 선정한 '세계 100대 지성인' 추아 교수를 인터뷰했다. 그는 『타이거 마더Battle hymn of the tiger mother』라는 책으로 세계적인 양육 논쟁을 불러 일으켰고 《타임Time》의 표지를 장식하기도 했다. 남편 제드 러벤펠드 교수는 성공한 법학자이면서 동시에 『살인의 해석The interpretation of murder』을 쓴 베스트셀러 작가이기도 하다.

우월감,
불안감 그리고 노력…

김환영 성공을 위한 세 요소를 간략히 요약한다면.

에이미 추아 성공하기 위해선 첫째로 '나는 특별하다'는 긍지pride가 필요하다. 긍지는 우월감이다. 그 다음엔 긍지를 증명해야 한다. '아직은 사람들로부터 충분히 인정받지 못했다', '더 잘해야 한다'는 생각을 품어야 한다는 얘기다. 그런 생각 없이 우월감만 지니고 있으면 게으르게 된다. 이 두 가지를 완성하는 것은 열심히 노력하는 일이다.

김환영 이 이론은 집단이나 국가에도 적용할 수 있나.

에이미 추아 그렇다. 한국은 완벽한 사례다. 나는 한국인 친구도 많고 한국에 대한 책도 많이 읽었다. 한국은 '우리 민족은 특별하다'는 민족 정체성, 예외주의exceptionalism가 강한 나라다. 하지만 한국은 일본 강점기 등을 거치며 '불안감insecurity, anxiety'도 겪게 됐다. 가난한 신생 한국에는 아직은 세계에 보여줄 것이 없다는 불안감이 있었다. 한국의 민족 자긍심과 불안감이 합쳐졌을 때 놀라운 에너지가 분출했다. 이는 한국에서 말하는 '한恨'을 승화하는 과정이기도 했다.
이러한 성공 메커니즘은 현대 중국의 경우에도 마찬가지로 적용된다. 미국의 아시아계 이민자들도 이러한 과정을 거쳤다. 모국인 한국과 중국에 대한 긍지와 그들이 처한 현실 사이에는 간격이 있었다. 미국 땅에서 아시아계 이민자들은 서툰 영어 억양이 웃음거리가 됐고 차별도 겪었다. 하지만 긍지로 무장한 그들에겐 '더 열심히 노력하겠다'는 의지와 실천이 있었다. 우리 아버지는 성공하려면 백인들보다 두 배는 열심히 공부해야 한다고 가르쳤다.

김환영 『트리플 패키지』는 아시아계, 나이지리아계, 쿠바계 미국인, 유대인들의 성공을 분석했기 때문에 인종주의적인 주장을 펼치고 있다는 비판도 받는다. 하지만 책 내용을 보면 오히려 '반인종주의 선언'으로 볼 수도 있다.

에이미 추아 많은 사람들이 이 책을 읽지도 않고 인종주의를 운운한다. 읽은 사람들은 이 책이 인종주의에 반대한다는 것을 안다. 아시아계의 성공은 인종과는 무관하다. 사실 이민 3세대 이후부터는 아시아계 미국인들의 우수한 성취가 점점 떨어지기 시작한다. 미국 사회에 동화돼 일반 미국인들처럼 돼버리기 때문이다.

동양과 서양의 장점을 취합하는 게 중요하다

김환영 조기 교육에서 반드시 필요한 것과 피해야 할 것은 무엇인가.

에이미 추아 동양과 서양의 장점을 취합하는 게 중요하다고 생각한다. 한국과 중국이 공유하는 전통문화적 가치들, 특히 유교 문화의 특징인 근면성, 어른 공경, 선생님에 대한 존경, 포기하지 않고 목표를 추구하는 의지를 어린이들에게 반드시 가르쳐야 한다. 하지만 21세기에는 '고정관념의 틀에서 벗어나 사고하는 것thinking outside of the box', 즉 창의적 사고를 아이들에게 가르치는 것도 중요하다. 미국의 경우에는 어린이들에게 규율과 근면성을 가르치지 않는 게 문제다. 동아시아의 경우에는 아이들에게 권위에 대한 의문을 제기하는 법을 충분히 가르치지 않는 게 문제다. 쉽지는 않겠지만 동양과 서양의 교육, 육아 전통을 합치면 완벽한 조합이 이뤄질 수 있다.

김환영 아무리 노력해도 성공하지 못할 수도 있다.

에이미 추아 성공은 매우 복잡하다. 성공에는 대가가 있다. 성공하는 대신 덜 행복해질 수도 있다. 또한 돈이나 명예만이 성공의 잣대는 아니다. 종교나 봉사가 삶의 목표라면 그 안에도 성공이 있다. 무엇이든 '내가 진정으로 바라는 것' 속에 성공이 있다. K-팝이 세계적인 주목을 받고 있지만, 자녀가 음악가가 되는 것을 반대하며 자녀가 교수나 의사가 되길 바라는 한국 부모도 있을 것이다. 성공의 정의를 확장할 필요가 있다.

한국인과 유대인은 배움에 대한 경의가 엄청나다

로버트 루트번스타인
미국 미시간주립대 생리학 교수

"한국인과 유대인은 공통점이 많다. 특히 지식욕이 왕성하다. 배움에 대한 경의가 엄청난 것이다. 그러나 논쟁에 대한 태도가 달라 보인다. 유대인 문화는 논쟁에 높은 가치를 부여하지만, 한국 문화는 논쟁을 회피하는 경향이 있다. 유대인은 논쟁을 통해 남들과 다른 사람이 되고 다르게 생각하는 사람이 되지만, 한국인은 논쟁을 회피함으로써 사람들과 두루두루 잘 지내고자 한다."

●●●●

산업화, 참여민주주의, 실용주의 같은 목표나 가치는 정부나 정권이 바뀌어도 여전히 발전시켜야 한다. 창조경제도 마찬가지다. 창의적인 사람 없는 창조경제는 없다. '창의력의 전도사'라고 할 수 있는 로버트 루트번스타인 미시간주립대 생리학 교수는 "새 시대에 응답하려면 창조경제·혁신경제·지식경제 외에 다른 길이 없다"고 말한다.
그는 1999년 아내 미셸 루트번스타인Michele Root-Bernstein 박사와 함께 『생각의 탄생Sparks of Genius』을 출간했다. 부부는 프린스턴대 박사과정에서 만났다. 우리말 번역본이 2007년에 나왔고 언론과 서점은 『생각의 탄생』을 '올해의 책'으로 선정했다. 한때 삼성 이건희 회장이 주목한 책이라는 풍문이 화제가 됐다. 이어령 전 문화부 장관은 "내가 써야 할 책이 이미 나왔구나"라는 추천사를 썼다. 그에게 창의성에 대해 물었다.

김환영 한국에서 인기가 좋다. 왜 그럴까.

로버트 루트번스타인 어려운 질문이다.(웃음) 한국인이 교육과 혁신에 관심이 많기 때문이라고 추측한다. 우리 책이 다루는 주제다.

김환영 학교에서 창의력을 가르칠 수 있는가.

로버트 루트번스타인 창조와 창의 그 자체는 가르칠 수 없지만 '창의의 과정creative process'은 가르칠 수 있다. 창의는 '문제 종속적 problem-dependent'이기 때문에 다음번 위대한 과학의 발견이 뭔지 내가 가르쳐 줄 수는 없다. 그 발견이 무엇인지 그 발견을 위해 무엇을 알아야 할지를 내가 모르기 때문이다. 그러나 나는 과거에 창의적인 사람들이 새로운 문제를 푸는 데 사용한 최고의 전략을 학생들에게 가르칠 수 있다.

김환영 회사는 어떤가. 기업문화corporate culture를 바꿔 창의력을 증진할 수 있는가.

로버트 루트번스타인 물론이다. 나는 1990년에서 2005년까지 미국 의약, 화학, 바이오 기술 회사의 컨설턴트 역할을 맡아 사내 창의력 증진을 위해 노력했고 그들과 함께 중대한 돌파구를 마련했다.

읽기·쓰기 잘해야
창의력 발전한다

김환영 보다 창의적인 사람이 되기 위해 네 가지 의사소통 기능인 읽기, 듣기, 쓰기, 말하기가 중요한가. 예컨대 책이나 신문보기, 강연 듣기, 일기 쓰기 같은 활동도 도움이 되는지.

로버트 루트번스타인 물론이다. 많이 알수록, 특히 어떤 문제가 있는지 많이 인지할수록 새로운 방식으로 지식을 결합해 해결책을 내놓을 수 있다. 매체 기사 읽기, 사람들과 상호작용하기, 다양한 체험하기 등을 통해 무엇을 어떻게 해야 하는지에 대해 지식을 쌓는 게 그래서 중요하다.

김환영 그중에서도 가장 중요한 것은.

로버트 루트번스타인 네 가지는 서로 연결돼 있기에 그중 한 가지만 선택할 수는 없다. 나는 과학전공 학생들에게 글쓰기를 가르친다. 글쓰기를 가르치려면 읽기도 가르쳐야 한다. 글을 더 많이 읽어 글을 더 잘 이해하게 되면, 더 잘 쓰게 된다. 역으로 글을 더 잘 쓰게 되면서 자신이 읽는 텍스트를 더 잘 이해하게 된다. 서로 지식이라는 영양분을 공급하는 것이다.

김환영 『Sparks of Genius(천재성의 불꽃)』의 한글판 제목은 '생각의 탄생'이다. 책 내용을 제대로 반영하는가.

로버트 루트번스타인 영문 제목보다 더 좋다. 사실 우리들은 영문 제목을 좋아하지 않았다.

김환영 창의성의 13가지 도구를 제시했다. 한두 개만으로도 충분한 경우는 없나.

로버트 루트번스타인 몇 가지만 사용하는 사람도 많다. 하지만 한 두 가지보다는 더 많은 창의성 도구가 필요하다. 창의성은 사람들이 예상하지 못한 새로운 방식으로 사물과 생각을 조합하는 데서 나오기 때문에 더 많은 도구를 갖출수록 더 많은 조합을 할 수 있다.

김환영 13가지 도구를 모두 사용한 사람을 열거한다면.

로버트 루트번스타인 레오나르도 다빈치Leonardo da Vinci, 아인슈타인 Albert Einstein, 물리학자 리처드 파인먼Richard Feynman 등이 있다.

김환영 책에 수록된 다빈치, 아인슈타인, 파블로 피카소Pablo Picasso 등은 천재다. 평범한 학생이나 회사원도 '천재 따라하기'가 가능할까.

로버트 루트번스타인 그렇다. 누구나 창의성 도구를 배우고 실행해 이득을 볼 수 있다. 우리 부부는 공립학교를 정기적으로 방문해 창의성 도구를 가르친다. 선생님들이 더 잘 가르치고 학생들이 더 잘 배울 수 있도록 돕기 위해서다.

모든 혁신은 문제 발견에서 나온다

김환영 책 발간 후 '나중에 든 생각after thought'이 있었는지.

로버트 루트번스타인 항상 그런 생각이 든다. 우리 부부는 지금 두 가지를 연구한다. 첫째, 복수 학문 전공자를 훈련시키는 문제다. 지식경제나 창조경제의 문제와도 밀접한 주제다. 중심 개념은 두 개 분야 이상에 정통한 '폴리매스polymath, 博識家'다. 어떤 분야건 박식가들이 위대한 돌파구를 만든다. 두 번째 연구 주제는 사람들에게 문제를 포착하는 법을 가르쳐야 할 필요성에 대한 것이다. 현재 교육은 '우리가 이미 아는 문제'를 해결하는 법을 가르친다. 생산경제와는 잘 들어맞는 교육이다. '우리가 이미 알고 있는 문제'와는 잘 통한다. 예컨대 더 효과적으로 더 많은 자동차를 더 많이 만들면 된다. 하지만 사람을 이동시키는 전혀 새로운 방식을 찾아내려면 새로운 문제들의 집합을 포착해야 한다. 모든 위대한 혁신은 문제 발견problem finding에서 나온다. 현재는 그 방법을 가르칠 수 있는 사람이 없다. 그래서 연구에 착수했다.

김환영 박식가는 어떤 사람들인가.

로버트 루트번스타인 모든 분야에서 다양한 유형의 박식가가 나온다. 박식가가 다른 사람들과 다른 점은 호기심이다. 그들은 평생 호기심을 유지하며 끊임없이 새로운 것을 배운다.

김환영 과학사로 박사학위를 받았다. 과학사학자 토머스 쿤(1922~1996)이 저술한 『과학혁명의 구조The Structure of Scientific Revolution』가 그리는 과학혁명의 과정을 어떻게 평가하는지. '패러다임'은 한국에서 광범위하게 사용된다. 국어사전에도 나온다.

로버트 루트번스타인 나는 쿤 교수의 마지막 대학원 학생이었다. 이 질문에 대답할 자격이 있다. 쿤의 분석은 매우 정확하다. 대부분의 과학연구를 살펴보면, 대부분의 연구자는 쿤이 말하는 정상과학normal science을 한다. 하지만 소수의 연구자는 우리들이 이해하지 못하는 변칙사례anomaly에 주목한다. 그 결과가 혁신이자 혁명이다. 바로 그렇기 때문에 문제발견의 기법을 가르쳐야 한다. 경제건 과학이건 의학이건 혁신하려면 우선 문제를 발견해야 한다.

한 분야 통달하면 다른 분야도 성공

김환영 한국에서는 유대인의 창의성에 대한 관심이 많다. 여러 주장이 제기됐다.

로버트 루트번스타인 한국인과 유대인은 공통점이 많다. 특히 지식욕이 왕성하다. 배움에 대한 경의敬意가 엄청난 것이다. 그러나 논쟁에 대한 태도가 달라 보인다. 유대인 문화는 논쟁에 높은 가치를 부여하지만, 한국 문화는 논쟁을 회피하는 경향이 있다. 유대인은 논쟁을 통해 남들과 다른 사람이 되고 다르게 생각하는 사람이 되지만, 한국인은 논쟁을 회피함으로써 사람들과 두루두루 잘 지내고자 한다.
유대인은 아이디어를 가지고 노는 것을 좋아한다. '우호적인 friendly' 논쟁, '논쟁 그 자체를 위한' 논쟁을 좋아한다. 논쟁은 화를 내거나 싸우는 게 아니다. 논쟁은 배우는 방식 중 하나다. 의견이 다르면 의견이 같을 때보다 더 많은 정보를 교환한다. 의견이 같으면 새로이 배우는 게 없다. 의견이 달라야 더 많은 사실fact을 상대편에게 제시하게 된다.

김환영 한국에서는 인문학 전공 졸업생들이 일자리를 찾는 게 쉽지 않다. 어떻게 해야 하는지.

로버트 루트번스타인 미국에도 같은 문제가 있다. 『생각의 탄생』의 집필 동기도 이 문제와 관련 있다. 우리 생각은 이렇다. 무슨 전공이건 그 전공에 통달하면 모든 다른 전공에도 통용될 수 있는 스킬을 갖추게 된다. 연구에 따르면, 예컨대 역사학 전공 학생이라도 과학에 대한 적정한reasonable 수준의 지식이 있으면 훌륭한 의사가 될 수 있다. 로스쿨이나 비즈니스스쿨에 가서도 잘

한다. 시詩를 좋아하는 영문학도도 마찬가지다. 시를 분석할 수 있는 사람들은 비즈니스에서 성공하는 데 필요한 소통 스킬이 뛰어나다. 전공이 아니라 스킬이다. 한 분야에서 최고가 되면 다른 분야에서도 성공한다.

김환영 책에 대한 비판이 있다면.

로버트 루트번스타인 사례가 너무 많이 나온다는 지적이 있다.(웃음) 가끔은 책이 어렵다는 의견도 듣는다.

김환영 한국 독자들에게 강조할 게 있다면.

로버트 루트번스타인 한국 학생들은 공부를 잘해야 한다는 엄청난 압박을 받는다. 물론 여러 가지 이유가 있다. 하지만 학교는 인생에서 성공하는 데 필요한 모든 것을 가르쳐주지 않는다. 우리 부부의 연구를 포함해 세계 각국에서 나온 연구 결과에 따르면 '공부를 잘하기는 하지만 반드시 최고는 아닌 학생들'이 성공할 가능성이 더 크다.

한국이 중·일과 이웃한 건 때로 축복, 때로 저주

재러드 다이아몬드
미국 UCLA 지리학과 교수, 『총, 균, 쇠』의 저자

> “모든 나라에 지리는 ‘저주’이기도 하고 ‘축복’이기도 하다. 한국은 몇 가지 측면에서 특유의 저주와 축복이 있다. 온대에 위치하고 있는 것은 축복이다. 인구가 더 많고 강력한 중국·일본과 접하고 있는 것은 때때로 축복이기도 하고 저주이기도 하다. 반도라는 것은 저주나 축복이라기보다는 그저 중요한 요인이다.”

●●●●

21세기에는 거대담론이 나오기 힘들다. 오늘날 학문 세계는 고도로 세분화됐다. 말은 쉽지만 다학문적multidisciplinary 연구는 더더욱 어렵다. 재러드 다이아몬드 미국 UCLA 교수는 학자 수십 명이 달라붙어야 내놓을 수 있을 것 같은 성과를 연속해 선보이고 있다. 그는 생물학, 언어학, 역사학, 의학, 인류학, 지리학의 수십 개 분과 학문에서 자유롭게 이론과 사실을 끌어다 쓰는 세계적인 석학이다. 영국 시사 월간지 《프로스펙트Prospect》가 선정한 '세계 사상가World Thinkers 2013' 100명 중 12위를 차지했다. 퓰리처상을 받은 『총, 균, 쇠Guns, Germs, and Steel』로 유명한 그가 내놓은 『어제까지의 세계The World Until Yesterday』가 2013년 우리말로 번역됐다. 지리라는 관점으로 보면 세계가 어떻게 보이는지 알아보기 위해 다이아몬드 교수를 인터뷰했다.

김환영 지리학이란 무엇인가.

재러드 다이아몬드 넓은 의미로 정의한다면, 지리학은 지구의 '장소place'와 관련된 모든 것을 연구하는 학문이다. 생물지리학(동물과 식물의 분포), 자연지리학(강과 해안과 산), 그리고 인문지리학이 있다. 인문지리학은 한국이 왜 일찍이 농업과 국가, 문자를 발전시켰으며 오늘날 파라과이나 말라위보다 부자 나라인지를 설명할 수 있다.

지리적 요인 받쳐줘야 위대한 지도자 탄생

김환영 문화나 종교의 지리학은 경제지리학보다 더 중요한가.

재러드 다이아몬드 어떤 게 더 중요한지를 묻는 것은, 행복한 결혼생활을 위해 부부 사이에 섹스나 돈, 종교, 자녀, 정치에 대한 의견일치 중에서 무엇이 제일 중요한지를 묻는 것과 같다. 행복한 결혼에는 이 모든 변수를 고려하는 게 필요하다. 다른 것보다 더 중요한 한 가지를 물어서는 안 된다. 마찬가지로 문화, 종교, 경제, 기후의 지리학, 생물지리학, 자연지리학 모두가 중요하다. 지리의 모든 측면을 고려하지 않고서는 인간사회를 이해할 수 없다. 오로지 섹스만으로 행복한 결혼생활을 누릴 수 없는 것처럼 말이다.

김환영 알렉산더 대제의 제국, 몽골 제국, 이슬람 제국과 같은 경우를 보면, 강대국의 부상은 급격하게 일어나지만 쇠퇴는 천천히 이뤄지는 것 같다. 부상에는 리더십이 중요하지만 쇠퇴기에는 환경적 요인이 중요하기 때문이 아닐까. 그런 관점에서 본다면 지리와 리더십은 어떤 관계인가.

재러드 다이아몬드 그렇게 생각하지 않는다. 몇몇 경우에는 맞는 말이지만 그렇지 않은 사례가 있다. 잉카 제국, 카르타고, 대영제국은 모두 천천히 부상했으나 쇠퇴는 빨리 일어났다. 지리가 리더십에 미치는 영향에 대해서는 리더십의 행사가 지리적인 제약을 받는다고 말할 수 있다. 아무리 위대한 지도자라도 지리적 요인이 그의 나라를 약하게 만드는 요인으로 작용하면 업적을 이룰 수 없다. 파라과이나 말라위의 위대한 지도자에 대해 들어본 적이 있는가.

김환영 21세기는 '아시아의 세기'인가 아니면 '아시아, 태평양의 세기'인가.

재러드 다이아몬드 양쪽 다 아니다. 과거 가난했던 상당수 아시아 국가들의 부와 권력이 성장하고 있지만 북미와 유럽은 21세기에도 사라지지 않을 근본적인 지리적 이점을 누리고 있다.

김환영 인간의 '정치 유전자'를 고려하면 미국과 중국 사이의 분쟁은 불가피한 것인가.

재러드 다이아몬드 중국과 미국뿐만 아니라 그 어떤 나라들 사이에서도 분쟁이 불가피한 것은 아니다. 유전자뿐만 아니라 그 어떤 다른 요인을 고려해도 그렇다. 수천 년의 기록된 역사를 통해 보면, 정치 단위들 간의 관계는 분쟁과 우호적 관계의 혼합이었다. 이 혼합에는 또한 부침이 있었다. 분쟁 원인은 유전자가 아니라 계산된 계획이나 실수였다.

김환영 모든 나라에 지리는 '저주'이기도 하고 '축복'이기도 하다.

재러드 다이아몬드 몇 가지 측면에서 한국의 지리에는 특유의 저주와 축복이 있다. 온대에 위치하고 있는 것은 축복이다. 인구가 더 많고 강력한 중국·일본과 접하고 있는 것은 때때로 축복이기도 하고 저주이기도 하다. 반도라는 것은 저주나 축복이라기보다는 그저 중요한 요인이다. 한국과 가장 가까운 경우는 온대에 있는 그리스, 이탈리아, 스페인, 포르투갈, 덴마크를 비롯한 스칸디나비아의 반도 국가들이다. 그러나 이들 반도 국가도 엄밀히 말하자면 한국과 유사하다고 할 수 없다.

북핵? 미친 지도자가 강력 무기 쥐는 건 불행

김환영 세계가 하나의 '지구촌'이 된다는 것은 '지리의 종언'을 의미하는가.

재러드 다이아몬드 아니다. 세계화가 계속돼도 한국이 온대기후 지역에 자리 잡은 반도라는 것, 중국·일본과 가깝다는 것, 한국어로 말한다는 것, 세계 최고인 한글이라는 놀라운 문자체제로 글을 쓴다는 것은 변하지 않는다. 다른 나라가 한글을 채택할 가능성이 없다는 것은 곧, 그 어떤 다른 문자도 따라올 수 없는 한

글을 한국이 무한정 독점한다는 것을 의미한다. 한글이 최고라는 것은 내 개인 의견일 뿐만 아니라 객관적인 사실이다.

김환영 당신은 친한親韓, pro-Korea인가.

재러드 다이아몬드 그렇다. 나는 한국에 관심이 많고 친한이다. 한국 사람과 한국 역사에는 흥미롭고 감탄할 만한 게 아주 많기 때문이다.

김환영 『어제까지의 세계』를 읽는다는 것은 한국 독자들에게 어떤 의미가 있나.

재러드 다이아몬드 전통사회들이 얼마나 매혹적인지 발견하게 될 것이며 현대 한국인의 삶에 유용한 교훈을 얻을 수 있을 것이다.

김환영 한국 독자들은 어떤 순서로 당신의 책을 읽는 게 좋을까.

재러드 다이아몬드 독자마다 각자 바라는 순서에 따라 읽으면 된다. 나는 한국 독자들이 내가 쓴 책을 모두 다 재미있게 읽을 것이라고 생각한다. 그래서 책들이 한국어로 모두 번역됐다는 게 매우 기쁘고 자랑스럽다.

김환영 북한의 핵무기 개발을 어떻게 보는가.

재러드 다이아몬드 나쁜 일이다. 미친 지도자들이 강력한 무기를 쥐게 되는 것은 항상 나쁘다.

김환영 사회과학에서 변수가 너무 많은 것도 적은 것도 나쁜 것 같다. 최적의 변수 숫자는.

재러드 다이아몬드 변수가 너무 많으면(예를 들면 79개) 체계가 없어 이해할 수 없는 '세탁물 기입표laundry list'처럼 돼버린다. 변수가 너무 적으면(예컨대 한두 개) 다른 중요한 요인들을 무시하는 것이다. 최적의 변수 개수는 없다. 변수의 수는 질문의 성격과 염두에 두고 있는 독자층에 달렸다.

김환영 유라시아를 한 단위로 묶어서 볼 수도 있고 나눠서 볼 수도 있다. 묶느냐 나누느냐에 따라 질문과 답이 어떻게 달라지나.

재러드 다이아몬드 '유라시아 대對 다른 대륙'이라는 지리적 스케일로 보면 '어떤 이유로 다른 대륙이 아니라 유라시아의 사람들 중 일부가 세계 나머지의 대부분을 정복한 것일까'라는 질문이 제기된다. 『총, 균, 쇠』는 이 질문에 대한 논의다. 두 번째 질문은 '유라시아 중에서도 중국, 인도, 중동이 아니라 유럽이 세계로 팽창한 이유는 무엇인가'다. 이 두 번째 질문에 대해서는 현재 논란이 계속되고 있다. 『총, 균, 쇠』의 에필로그는 이 문제에 대한 내 이론을 간략하게 제시한다.

'동북아국가연합'의 통합 촉진자가 돼라

키쇼르 마부바니
싱가포르국립대 공공정책대학원장

> 한국이 이룩한 급격한 발전에 대해 경의를 표한다. 한국의 성공적 모델에는 다른 나라들이 참고할 만한 점이 많다. 한국은 동북아에서 상대적으로는 작은 나라이기 때문에 오히려 동북아국가연합을 주도할 수 있다. 아세안도 큰 나라인 인도네시아가 태국, 말레이시아, 싱가포르에 역할을 인정해줬기 때문에 가능했다.

●●●●

'아시아의 토인비'(《이코노미스트Economist》), '신新유교 윤리의 막스 베버'(《워싱턴포스트Washington Post》), '이 시대 최고 지성 100인'(《포린폴리시》)…. 키쇼르 마부바니 싱가포르국립대 공공정책대학원장에게 쏟아진 찬사다.

마부바니 원장은 1948년 파키스탄 이민자의 아들로 싱가포르에서 태어났다. 싱가포르국립대를 1971년 졸업한 후 외무부에 들어가 2004년까지 외교관으로 활약했다. 그는 주유엔 싱가포르 대사를 두 차례(1984~1989, 1998~2004) 역임했으며, 2001년 1월과 2002년 5월에는 유엔 안보리 의장직을 맡았다. 2004년 싱가포르국립대 공공정책대학원장으로 취임했다.

그가 저술한 『헬로 아시아 The New Asian Hemisphere: The Irresistible Shift of Global Power to the East』는 세계 언론의 주목을 받았다. 마부바니는 《파이낸셜타임스Financial Times》, 《뉴스위크Newsweek》 등 유력 언론에도 활발하게 투고하고 있다. 두드러진 활약 때문에 옳건 그르건 그의 발언은 아시아를 대표하는 의견으로 인정받고 있다. 그를 주목해야 하는 이유다.

김환영 세계의 지역통합 조류에서 아시아가 뒤처지고 있다고 볼 수 있나.

키쇼르 마부바니 그런 것은 아니다. 무역이나 경제 통합 차원에서 아시아는 세계 최고 수준이다. 유럽연합, 아프리카연합, 중남미국가연합 같은 공식기구는 없어도 다른 지역들이 아시아를 부러워할 정도로 잘하고 있다. 당분간은 동남아국가연합(아세안)+3(한·중·일)의 발전에 집중할 필요가 있다. 효율성 측면에서 일단 참가국 규모는 현 수준이 좋다고 본다.

김환영 아세안 없이도 소강국小强國인 싱가포르의 활기찬 경제력은 유지될 수 있는 것 아닌가.

키쇼르 마부바니 아니다. 아세안은 중요하다. 1990년대까지도 동남아는 아시아의 발칸반도라고 불렸다. 동남아는 분쟁, 발칸반도는 평화가 예상됐다. 역사적 결과는 그 반대였다. 아세안이 싱가포르 등 지역 발전에 크게 기여했다.

김환영 동북아도 '동북아국가연합'을 창설하는 방안을 모색해야 하나.

키쇼르 마부바니 시도해 볼 만하다. 문제는 동남아보다 국가 간 상호 불신이 강하다는 점이다. 한국과 일본, 중국과 일본 사이에 갈등이 내재돼 있고 북한도 통합을 복잡하게 만드는 변수다. 중국이 역내 통합을 주도하면 의구심을 야기시킬 것이다. 나는 한국이 이룩한 급격한 발전에 대해 경의를 표한다. 한국의 성공적 모델에는 다른 나라들이 참고할 만한 점이 많다. 한국은 동북아에서 상대적으로는 작은 나라이기 때문에 오히려 동북아국가연합을 주도할 수 있다. 아세안도 큰 나라인 인도네시아가 태국, 말레이시아, 싱가포르에 역할을 인정해줬기 때문에 가능했다.

김환영 중국이나 일본이 그런 역할을 한국에 허용할 것으로 보나.

키쇼르 마부바니 한국이 지도자leader가 되려고 하면 반발을 일으킬 수도 있겠지만 싱가포르의 경우처럼 '통합 촉진자facilitator' 역할에 자신의 정치적 목표를 제한하면 가능할 것이다.

김환영 싱가포르와 주변국 사이엔 잠재적인 적대 감정이 있는 것으로 알고 있다. 동남아에서 중국계가 다수인 유일한 국가인데다 다른 나라들보다 경제적으로 앞서 있다. 이런 상황에서 싱가포르는 어떻게 촉진자 역할을 할 수 있었는지.

키쇼르 마부바니 싱가포르의 정치적 의도에 관한 의혹은 주변국들 사이에 어느 정도 있었던 게 사실이다. 한국은 동북아 통합을 위해 싱가포르-아세안 관계를 연구할 필요가 있다. 싱가포르의 외교력은 세계 최상급이다. 모든 강대국, 이웃나라와 좋은 관계를 유지하고 있다.

김환영 중국에 필요한 세계전략은 무엇인가.

키쇼르 마부바니 중국은 저자세low profile를 유지해야 한다. 서구의 의구심 때문이다. 중국은 느린 속도로 신중하게 나아가야 한다. 덩샤오핑鄧小平의 정치적 유언도 중국이 패권을 시도해서는 안 된다는 것이었다.

김환영 중국은 아직 막강한 서구를 의식해 발톱을 숨기고 있는 것은 아닌가.

키쇼르 마부바니 중국에 세계를 지배하겠다는 의도는 없다고 본다. 중국은 국내 문제가 산적한 나라다. 공산당 체제도 언젠가는 바뀌어야 한다. 여력이 없다. 게다가 중국은 지금 국제적으로 존중받고 있다. 굳이 지배를 추구할 필요가 없다.

김환영 미국의 경우 19세기부터 강대국으로 부상했으나 제1, 2차 세계대전에 뒤늦게 참전하는 등 '마지못해' 초강대국이 된 측면도 있다. 중국도 비슷한 역사적인 경로를 겪지 않을런지.

키쇼르 마부바니 중국이 강대국이 되는 것은 일단 확실하다. 문제는 국제체제의 규칙이다. 19세기에는 영향력을 확대하고 강대국이 되려면 독일이나 일본처럼 전쟁을 해야 했다. 양국은 전쟁에서 졌지만 강대국으로 다시 부상했다. 이때는 전쟁을 할 필요가 없었다. 규칙이 바뀌었기 때문이다. 중국도 현 국제무역체제에서 번영하고 있다. 중국과 아시아의 목표는 서구의 성공을 재현하는 것이지 세계를 지배하는 것이 아니다. 중국이 1등이 돼도 인도, 미국, 일본, 유럽연합 등의 경제력은 막강한 수준으로 유지될 것이다. 전후에 형성된 자유주의적 국제경제 체제를 중국이 바꿀 이유는 없을 것이다.

김환영 티베트에 대한 중국의 대응은 '19세기식' 아닌가.

키쇼르 마부바니 달라이 라마도 티베트가 중국의 일부라는 점은 인정한다. 그가 바라는 것은 자치다. 중국과 티베트의 입장은 본질적으로 차이가 없다. 양측은 이러한 공동의 인식을 바탕으로 현재 협상을 진행 중인 것으로 안다.

김환영 중국의 부상으로 아시아 국가들이 느끼는 위협이 적지 않은데….

키쇼르 마부바니 중국은 국제사회의 '책임 있는 이해당사국 responsible stakeholder'으로 기능할 것이다. 중국의 상승은 아시아 다른 나라들에도 이득이었다. 중국은 향후 역내 자유무역협정 체결 등 경제문제에 집중할 것이다.

역사가 19세기로 돌아가지 않을까? 그래서 외교가 중요하다

김환영 역사가 19세기로 되돌아갈 가능성은 남아 있지 않은가. 중·미 관계 악화로 한국이나 싱가포르가 중국과 미국 중 하나를 선택해야 하는 상황이 오지는 않겠는가.

키쇼르 마부바니 그런 상황을 피해야 한다. 바로 그래서 외교가 중요하다. 국제정세의 변화에 대비해 한국은 아세안을 연구해야 하며 아세안을 이용해야 한다.

김환영 대중화지구大中華地區, Greater China에 관한 논의가 있다. 중국·홍콩·마카오·대만을 포괄하는 권역이다. 앞으로 정치적인 실체로 등장할 수 있는 데다 이미 문화적 권력으로 떠오른 상태다. 몽골과 싱가포르까지 대중화지구에 포함되기도 하는데….

키쇼르 마부바니 싱가포르는 싱가포르다. 싱가포르 인구의 다수가 중국계인 것은 사실이지만 싱가포르는 동남아의 일원이다. 대중화지구에 포섭되는 것은 싱가포르에게는 정치적인 자살이다. 싱가포르는 중국과 대만, 베트남 등이 영유권을 주장하는 스프래틀리 군도Spratly Islands 문제에 있어서도 아세안 입장에서 목소리를 낸다. 중국 편을 들지 않는다.

김환영 중국 지도자들의 연설문을 분석해 보면 사회주의 색채가 강하다. 학교에서도 아직 마르크스주의를 가르친다. 중국의 공식 이념과 실천의 격차를 어떻게 봐야 하나. 상황이 바뀌면 중국은 사회주의를 강하게 내세울 수도 있다고 보나.

키쇼르 마부바니 중국은 공산당이 다스리는 나라다. 공산당 통치의 정당성은 사회주의에서 나온다. 그러나 국가는 말이 아니라 행동으로 평가해야 한다. 80년대만 해도 호텔 책상 서랍에는 마오쩌둥毛澤東의 어록이 담긴 빨간 소책자가 있었다. 요즘에는 중국 투자 유치 홍보 책자가 그 자리를 대신 차지하고 있다. 대부분의 나라들은 공식 이데올로기와 실천 사이에 격차가 있다. 유럽과 미국은 자유무역을 내세우지만 막대한 농업 보조금을 지원한다. 그런 면에서 모든 국가는 위선적이다.

한·일관계 신뢰 회복이 동북아 안정·평화의 핵심이다

애런 프리드버그
미국 프린스턴대 교수

> 한·일 관계의 악화는 비극이다. 지금은 더욱 긴밀한 한·일 협력이 필요한 때다. 역사문제 등 충분히 이해할 만한 차이가 양국 간에 존재하지만 한·미·일의 국가 이익이라는 큰 그림을 봐야 한다. 정치인들은 전략 차원에서 스테이츠맨십을 발휘해야 한다. 양국에는 민족주의적 열정을 불러일으켜 이익을 보려는 세력이 있지만 양국이 적대감으로 얻을 이익은 아무것도 없다. 서로 신뢰하는 한·일 관계가 동북아 안정과 평화의 핵심이다.

●●●●

4세기 로마 군사전문가 베게티우스Vegetius는 이렇게 말했다. "평화를 바란다면 전쟁을 준비하라." 준비 자체가 전쟁을 촉발할 수 있지만 국가는 전쟁이라는 최악에 대비한다. 한판 붙게 되면 이겨야 한다. 승전에는 군사력, 경제력, 문화력도 중요하지만 국력을 극대화하는 것은 전략이다. 전 세계를 상대로 하는 전략은 대전략大戰略, grand strategy이다. 세계의 번영과 평화에 1차적인 영향력을 행사하고 있는 미국과 중국의 대전략을 파악하는 게 평화를 준비하는 것이다. 시진핑習近平 시대를 맞이해 미·중 경쟁의 전략적 구도와 관련해 애런 프리드버그 프린스턴대 교수를 인터뷰했다. 그는 전략분야에서 최고의 권위자다. 아시아, 특히 중국의 부상이 미국에 미치는 영향에 대해 고민해 온 학자로, 국제 현안에 대해 《월스트리트저널Wall Street Journal》, 《뉴욕타임스The New York Times》, 《포린어페어스Foreign Affairs》 등 유력 매체에 기고하고 있는 공공지식인이기도 하다. 특히 그가 저술한 『패권경쟁: 중국과 미국, 누가 아시아를 지배할까A Contest for Supremacy: China, America, and the Struggle for Mastery in Asia』는 미·중 패권경쟁 분야의 필독서다.

김환영 미·중 경쟁 시대에 한·미 관계는 어떻게 설정돼야 하는가.

애런 프리드버그 민주국가는 국민이 원하는 외교정책을 선택해야 한다. 지난 수년간 한·미 관계는 이전보다 더 긴밀했다. 어느 당이 한국 대선에서 집권하건 긴밀한 관계가 유지돼야 한다. 한국의 국가 이익은 중국보다는 미국과 다른 민주국가들의 이익과 더 잘 부합된다.
한국은 동북아, 세계 차원에서 보다 중요한 역할을 맡는 게 좋다. 한국은 강력한 경제와 안정적인 정치를 바탕으로 하는 엄청난 잠재력이 있다. 한국은 능력에 비해 저평가돼 있다. 오직 북한 변수로만 한국의 국제정치적 위상을 생각하는 것은 잘못된 것이다.

중·일 갈등의 1차적 책임은 중국

김환영 일본에 보다 우파적인 정부가 들어서면 그 여파로 미·중 관계가 악화될 수 있다.

애런 프리드버그 과장된 주장이라고 생각한다. 문제의 원인은 일본보다는 중국에 있다. 일본에도 국제관계를 악화시키는 사람들이 있지만 주류는 아니다.

김환영 미국 민주당과 공화당의 중국 정책은 다르지 않은가.

애런 프리드버그 엄청난 차이가 있는 것은 아니다. 2010년을 전후로 오바마 정부의 중국 정책이 보다 강경해졌다. 오바마 정부의 '아시아·태평양 중시 정책Pivot to Asia'이 유지되기를 희망한다. 경제분야에서도 양당 간에 큰 차이는 없다.

김환영 미국의 대전략은 공개적이다. 전략에는 기만적 엘리트적 폐쇄성이 필요한 것은 아닌가.

애런 프리드버그 민주주의라는 국가 성격 때문에 미국은 기만적이거나 폐쇄적인 전략을 구사할 수 없다. 미국의 전략은 공개적인 토론의 대상이다. 세부사항을 일일이 다 공개하고 토론할 수는 없지만 전체적으로 외교전략은 투명해야 한다. 중국에 대해서도 마찬가지다. 미국은 자신과 동맹국들의 국가이익을 위해 중국에 대해 '양면전략two-pronged strategy'을 구사해왔다. 첫째는 무역, 외교 등의 수단을 통한 관여engagement이고, 둘째는 세력균형의 유지다. 여기서 세력균형은 봉쇄containment가 아니다.

김환영 대전략은 왜 필요한가.

애런 프리드버그 대전략은 국가정책의 우선순위를 알려준다. 모든 나라는 알게 모르게 대전략이 있다. 일이 터질 때마다 이런저런 전술적인 대응을 하는 가운데 그 총합이 전략을 형성하기도 하지만 그런 식은 바람직하지 않다.
미국 입장에서 또 전략적인 측면에서 봤을 때, 최근 한·일 관계의 악화는 비극이다. 지금은 더욱 긴밀한 한·일 협력이 필요하다. 역사문제 등 충분히 이해할 만한 차이가 양국 간에 존재하지만 한·미·일의 국가 이익이라는 큰 그림을 봐야 한다. 이념이나 경제 측면에서도 공통점이 더 많다. 정치인들은 전략 차원에서 스테이츠맨십statesmanship, 經世之才을 발휘해야 한다. 양국에는 민족주의적 열정을 불러일으켜 이익을 보려는 세력이 있다. 그러나 양국이 적대감으로 얻을 것은 아무것도 없다. 앞으로 수년간은 서로 신뢰하는 한·일관계가 동북아 안정과 평화의 핵심이다.

김환영 패권경쟁은 전략이 아니라 결국 경제의 문제가 아닌가.

애런 프리드버그 특히 장기적으로 경제는 매우 중요하다. 하지만 경제가 모든 것을 결정하는 것은 아니다. 상대적으로 경제규모가 작은 국가도 공세적인 외교를 펼칠 수 있다. 소련의 경제규모는 미국의 4분의 1에 불과했지만 미국에 상당한 도전이 됐다.

김환영 미·중 관계의 특수성 때문에 역사적 선례들이 전략 수립에 도움이 안 되는 것은 아닌가.

애런 프리드버그 역사는 항상 도움이 된다. 역사는 과거와 현재의 차이를 드러냄으로써 도움을 준다. 미·소 냉전과 현 상황을 비교해보면 차이점이 부각된다. 중국경제의 역동성, 개방성, 세계로부터 기술을 흡수할 수 있는 능력 같은 것들이다. 소련과 비교했을 때 미국에 중국은 아주 다른 경쟁자다.

김환영 중국이 패권국이 되면 미국보다 더 잘할 것이라는 주장도 제기된다.

애런 프리드버그 중국의 이념과 정치체제를 고려하면 그렇지 않을 것이다. 미국의 지도력이 완벽하지는 못했다. 그러나 미국은 민주주의와 같이 전 세계에 적용되는 보편적인 원칙을 추구했다. 이를 위해 미국은 막대한 자금뿐만 아니라 인명 손실까지 감내했다. 패권국으로서 미국은 다른 나라들에 '후한generous' 나라였다. 미국은 국제분쟁의 평화적 해결과 보다 개방적인 국제경제체제를 건설하기 위해 노력했다. 이념 때문이다. 아시아 국가들의 경제적인 성공이나 동구권 국가들이 주권회복, 민주주의, 경제개혁을 달성하게 된 배경에도 미국이 냉전기간에 추구한 정책이 있다.
중국과 가장 가까운 나라들을 보면 북한, 미얀마, 수단, 이란 같은 나라들이다. 중국은 타국의 이익을 배제하고 중국의 국가 이익을 최우선적으로 고려하고 있다. 아시아·유럽 지도자들과 만나 이야기해보면, 이들이 중국에 대해 심각하게 우려하고 있다는 것을 알 수 있다. '미국이냐 중국이냐'의 문제에서 특히 민주국가의 국민은 미국이 지배하는 국제체제를 선호한다.

국제관계의 미래에서
미리 결정된 것은 아무것도 없어

김환영 미국과 중국이 결국 전쟁을 하게 될 것이라는 견해도 있다.

애런 프리드버그 국제관계의 미래에서 미리 결정된 것은 아무것도 없다. 미·중 모두 분쟁을 피하고 협력해야 한다는 생각을 하고 있다. 그러나 군사적 분쟁이 오지각誤知覺, misperception이나 오산誤算, miscalculation 때문에 발생할 가능성을 배제할 수는 없다. 특히 미국과 그 동맹국들이 약하게 보이고 서로 협력할 수 없는 것처럼 보이면 중국이 오판할 수 있다. 미국이 강하고, 미국의 동맹국들이 강하며 서로 긴밀히 협력하면 중국의 오판이나 미·중 간의 직접 충돌 가능성을 줄일 수 있다.

김환영 미국과 중국 최고지도자의 '궁합chemistry'이 잘 맞을 수도 잘 맞지 않을 수도 있다.

애런 프리드버그 나는 '궁합'의 중요성을 믿지 않는다. 물론 나쁜 '궁합'도 있다. 지도자들끼리 사이가 나쁘고 서로 싫어할 수 있다. 그러나 특히 중국은 집단지도체제다. 정책을 최고지도자 한 사람이 결정하는 게 아니다. 두 지도자가 공격적이지 않다는 것은 긍정적인 사실이지만 둘의 관계가 향후 수년간의 미·

중 관계를 결정하는 것은 아니다.

김환영 미국만큼 중국이 민주주의 국가가 되기를 바라는 나라는 없다. 중국 민주주의의 전망은.

애런 프리드버그 단기적, 장기적 전망이 다르다. 20여 년 전 미국은 중국의 민주화에 대해 낙관적이었다. 지금은 아니다. 현 중국 지도부는 자유화liberalization에 대해 매우 방어적이다. 당분간 공산당 일당 지배를 추구하겠지만 중국이 영원히 권위주의체제를 유지할 수는 없을 것이다. 중국이 어떤 경로로 민주국가가 될 것인지는 아무도 모르지만 역사는 중국 민주화의 편이다.

미·일과 강력한 관계 유지하고 중국과는 서로 믿을 제도적 장치를…

로버트 코헤인
미국 프린스턴대 우드로윌슨스쿨 교수

“한국은 이미 충분히 중요하고도 강한 나라다. 이제 국제기구에서 리더십을 발휘해야 한다. 무임승차 할 것이 아니라 국제기구에 정치적으로, 경제적으로 자본을 투자해야 한다. 또한 가난한 나라들, 인도와 동남아시아 국가들처럼 한국을 모델로 간주하는 나라들과의 관계도 강화해야 한다. 그렇게 하는 게 한국에 이익이다.”

전략은 반드시 성과를 보장하지 않는다. 19세기에 '친親중국, 결結일본, 연聯미국'을 우리에게 권한 청나라 외교관 황준헌黃遵憲(1848~1905)의 조선책략도 큰 도움이 되지 못했다. 그러나 전략 없이 강대국 지위를 획득하고 유지하는 강대국은 존재하지 않는다. '21세기 한국책략'을 설계하는 데 조언을 해줄 수 있는 학자 중 최상급 인물은 프린스턴대 로버트 O. 코헤인Robert O. Keohane 교수이다. 그는 미국 최고의 국제정치학자로 평가받는 석학 중 한 명이다.

국제정치학의 양대 산맥인 현실주의와 자유주의 가운데 코헤인 교수는 자유주의, 그중에서도 국제기구의 역할을 중시하는 '자유주의적 제도주의liberal institutionalism' 학파의 수장이다. 하지만 인터뷰에서 코헤인 교수는 현실주의, 자유주의뿐만 아니라 민주평화이론democratic peace theory(민주주의와 국제평화 간의 상관관계를 연구) 입장에서도 한국의 진로를 제안했다.

국제정치의 구조도 바뀌고 있다. 중국의 급부상과 미국, 유럽, 일본의 상대적인 쇠퇴 때문이다. 미국 중심의 패권覇權과 헤게모니hegemony 구조에서 세력균형balance of power 구조로 바뀔 조짐이 보이고 있다. 새로운 이론이 필요한 시대다. 이론을 모색하려면 우선 기존 이론이 오늘과 내일을 어떻게 조망하는지 점검해 볼 필요가 있다.

김환영 세력균형이라는 틀 속에서 향후 한국의 진로는….

로버트 코헤인 지정학과 세력균형 관점에서 보면 미·일과 강력한 관계를 유지해야 한다. 한국의 독립을 위협할 가능성이 높은 쪽은 중국이다. 중국이 위험한 민족주의 세력이 될 경우 한국을 도울 수 있는 우방들과 대립관계를 형성하지 말아야 한다. 좋지 못한 역사적 내력에도 불구하고 일본과 강력한 관계를 발전시키는 게 현명하다. 하지만 현실주의 관점으로 봐도 중국과 최대한 좋은 관계를 당연히 유지해야 한다.

김환영 자유주의 입장에선 국가보다는 국제기구, 전쟁보다는 평화와 무역을 상대적으로 중시하고 있는 듯하다.

로버트 코헤인 자유주의로 보면, 중국과 상호의존성을 높이며 강력한 우호관계를 맺어야 한다. 지금까지 한·미, 한·일 관계는 중국을 위협하는 것으로 보였다. 이를 탈피해 한국은 '믿을 만한 중국의 지지세력'이라는 인센티브를 중국에 제공해야 한다. 미래에 상황이 나빠질 가능성에 대비해 중국과 서로 믿을 만한 제도적 장치를 마련해야 한다. 국제기구에서 한국은 중국과 긴밀한 유대를 맺고 이를 바탕으로 사안에 따라 협력하거나 서로 다른 입장을 표방할 수 있어야 한다.

한국은 민주주의 발전시켜야 국제사회 대접받는다

김환영 현실주의로 볼 땐 미·일이, 자유주의로 볼 땐 중국이 한국에 더 우선적이라는 뜻으로 해석될 수 있겠다.

로버트 코헤인 한국의 민주주의를 보강하고 수호해야 한다. 한국의 자연스러운 동맹국들은 미·일 그리고 어느 정도까지는 유럽인데, '비非민주 한국'보다는 '민주 한국'이 동맹국들과의 관계에서 한국의 입지를 강화한다. 이들 동맹국과의 긍정적인 경제관계와 글로벌 경제 개방성을 유지하는 데도 한국의 민주주의가 도움이 된다. 즉, 한국이 민주주의를 계속 발전시켜야 국제사회에서 대접받을 것이다.

김환영 한국이 국제사회에서 할 일은.

로버트 코헤인 한국은 이미 충분히 중요하고도 강한 나라다. 이제 국제기구에서 리더십을 발휘해야 한다. 무임승차free-riding 할 것이 아니라 국제기구에 정치적으로, 경제적으로 자본을 투자해야 한다. 또한 가난한 나라들, 인도와 동남아시아 국가들처럼 한국을 모델로 간주하는 나라들과의 관계도 강화해야 한다. 그렇게 하는 게 한국에 이익이다.

국제정치는
구조 못지않게 과정이 중요

김환영 19세기는 세력균형의 세기, 20세기는 패권의 세기였다. 중국의 부상으로 21세기는 다시 세력균형의 시대로 회귀할 것인가. 국제체제가 불안정해 전쟁 가능성이 높아질까.

로버트 코헤인 세력균형과 패권이라는 국제정치의 구조structure는 종종 공존한다. 세력균형이나 패권이 국제정치의 유일한 원리로서 한 시대를 지배하는 것은 아니다. 19세기 영국은 중남미, 동아시아, 인도에서 패권국의 위치에 있었으나 유럽 대륙에서는 세력균형의 논리가 지배했다. 1949~1989년의 경우에도 패권과 세력균형이 공존했다. 미국은 동구권이나 중국 등에 영향력을 행사할 수 없었다. 미국은 소련의 영향권 바깥에 있는 국가들에만 패권을 행사했다.
미래에는 국제정치의 구조가 보다 세력균형적으로 바뀔 것이다. 미국은 계속 국제정치에서 가장 중요한 행위자actor이지만 90년대와 같은 지배적 위치는 상실했다. 구조 외에 과정process도 중요하다. 21세기가 세력균형 구조로 회귀하더라도 21세기 국제정치의 과정은 19세기와 근본적으로 다르다.

김환영 독재를 대신해 권위주의라는 말을 쓰는 것처럼 패권, 헤게모니는 제국주의에 대한 완곡어법euphemism인가.

로버트 코헤인 제국주의는 학문적 효용성을 상실한 개념이다. 모든 종류의 지배에 적용되는 개념이 됐기 때문이다. 패권은 제국주의에 대한 완곡어법 표현이 아니다. 국제정치학에서 패권은 구체적으로 정의되는 개념이다. 패권국은 일련의 국제정치와 경제적 규칙을 설정하는 국가다.

中 지도부 힘 빠져
극단적 민족주의로 가면 위험하다

김환영 중국의 부상에 대해 국제정치학계의 현실주의자들과 자유주의자들은 생각이 비슷한가.

로버트 코헤인 현실주의나 자유주의나 이익과 권력의 개념을 공유하고 중시한다. 두 이론 모두 권력의 구조를 들여다본다. 다만 자유주의는 국제정치에다 제도와 상호의존의 중요성을 추가했다. 두 학파 모두 '덜 중요했던 국가'가 부상하는 시기는 위험한 시기라고 본다. 국제제도, 동맹관계, 국제적 행위에 대한 기대가 바뀌기 때문이다. 17세기 영국, 19세기 말 미국, 20세기 초 독일의 부상은 국가 간 충돌을 초래했다. 중국은 급속도로 부상하고 있는데 미국은 상대적으로 쇠퇴하고 있다. 중국의 대중은 매우 민족주의적이다. 그들은 중국이 국제사회에서 제대로 된 대접을 받기를 바란다. 현실주의와 자유주의가 공통적으로 동의하는 내용이다. 다만 자유주의가 결과에 대해 어느 정도 더 낙관적이다. 중국이 전쟁을 치르기에는 국제경제에 아주 깊숙이 연관돼 있다. 국제기구들도 안정적인 요소로 작용한다.

김환영 미국이 유럽과 힘을 합쳐 '미·유럽합중국The United States of America and Europe'을 결성하거나, 영국, 호주, 캐나다, 뉴질랜드와 앵글로색슨합중국을 결성하면 향후 수십 년간 중국의 부상을 우려할 필요가 없을 것 같다. 그러다 보면 중국의 경제발전이 완성되고 정치도 민주화돼 우려할 필요도 없을 것 같은데….

로버트 코헤인 그럴 가능성은 없다. 유럽은 공동화폐(유로화) 문제로 여력이 없다. 미국은 다문화주의적인 국가다. 미국은 유럽보다는 한국과 일본, 인도네시아 같은 국가들과 협력해 중국이 좀 더 온건한 국제정치 행위자가 되도록 유도하고 있다. 미국은 유럽이 아니라 아시아로 기울고 있다.

김환영 중국이 예상보다 빨리 민주화된다면 '민주 중국'이 미국에 더 큰 위협이 될 가능성은 없는가.

로버트 코헤인 중국의 민주화에 오랜 시간이 걸린다고 보지만, 민주적인 중국은 모두에게 좋다. 위험한 것은 엘리트의 리더십이 약하고 대중은 민족주의적인 '독재국가 중국'이다. 지도부가 살아남기 위해 극단적인 민족주의를 표방할 수 있기 때문이다.

Chapter 2

석학들, 강대국의 길을 말하다

강하고 능력 있는 국가 없이는 경제발전도 없다 **_프랜시스 후쿠야마**

미국이 강한 건 세계인의 상상력을 자극하기 때문이다 **_피터 카젠스타인**

한국인들이 생각하는 것보다 훨씬 놀라운 나라, 한국 **_알랭 드 보통**

한국이 경제 강대국이 되려면… **_폴 새뮤얼슨**

후진국에 도시건설 서비스를 통째로 수출하라 **_폴 로머**

독일 히든 챔피언의 대·중소기업 간 신뢰·존중을 배우라 **_헤르만 지몬**

경제보다는 정치적·심리적 문제가 더 시급하다 **_슬라보이 지제크**

민주주의의 선두주자인 미국·영국·프랑스에도 문제는 있다 **_에마뉘엘 토드**

한국 정치의 미래가 밝은 이유는… **_이안 부루마**

최선의 전략은 중국·미국 모두의 동맹국이 되는 것 **_옌쉐퉁**

세계 최고의 외교력을 확보해야 한다 **_폴 케네디**

강하고 능력 있는 국가 없이는 경제발전도 없다

프랜시스 후쿠야마
미국 스탠퍼드대 민주주의·발전·법치연구센터 석좌 펠로

" 수년 전부터 많은 경제학자가 강하고 능력 있는 국가 없이는 경제발전도 없다는 사실에 주목하고 있다. 한국이 한국전쟁 이후 그토록 발전한 이유도 한국에 그러한 국가가 있었기 때문이다. 강한 국가는 법치, 책임정부와 더불어 정치적 질서를 보장하는 정치제도를 구성한다. "

●●●●

'닭이 먼저냐 달걀이 먼저냐'라는 의문의 닮은꼴은 정치와 경제 중에 무엇이 더 중요하냐다. 정치학자가 보기에는 당연히 정치가 우선이다. 먼 나라 위기가 국내 경제에 영향을 미치는 시대다. 먼 나라의 경제위기뿐만 아니라 정치위기도 우리 경제에 파장을 일으킬 수 있다. '국화만사성國和萬事成'이다. 나라 안이 화목해야 경제성장을 비롯해 모든 일이 잘된다. 나라가 화목하다는 것은 국내 정치질서의 틀이 흔들리지 않는다는 뜻이다. 국제경제의 번영, 국제평화의 중핵中核은 국제사회를 구성하는 각 나라들의 국내 정치 질서다. 현존 정치학자 중에서 '정치질서'의 문제에 대한 최고 전문가는 프랜시스 후쿠야마 스탠퍼드대 '민주주의·발전·법치연구센터' 석좌 펠로fellow다. 1992년 그는 자유민주주의·자본주의가 역사의 최종적 체제라는 '역사 종언론The end of history thesis'으로 세계적인 고담준론高談峻論을 점화했다.

시진핑 대북 경고 메시지에 북핵 해결 실낱 희망

김환영 북한의 핵 위협을 어떻게 보는가.

프랜시스 후쿠야마 가능한 모든 대안이 시도됐지만 북한은 아무런 해결책이 없는 나라들 중 하나다. 군사적 대응은 매우 위험하고 협상으로 결과를 얻는 것도 힘들다. 북한은 6자 회담으로 한국과 미국 그리고 국제사회로부터 다양한 지원을 얻어냈을 뿐이다. 고립 또한 성과를 내지 못했다. 결국 키를 쥐고 있는 것은 중국이다. 중국의 정책이 바뀌지 않는 한 별다른 진전이 없을 것이다. 시진핑 중국 국가주석이 북한에 경고 메시지를 보내고 있다는 점에서 약간의 희망적인 조짐이 보이지만 얼마만큼 실질적인 힘이 실릴지는 의문이다.

김환영 한·일 관계가 나아갈 길에 대해서는 어떻게 생각하는가.

프랜시스 후쿠야마 영토문제가 양국의 협력을 저해하는 데 대해 깊은 우려가 된다. 다음 세대까지도 세계 정치에서 최우선 문제는 중국의 부상이다. 어떤 의미에서건 중국의 부상으로 위협받는 나라들은 서로 협력해야 한다. 미·소 관계와는 달리 미국이 중국을 봉쇄하는 정책으로 나아갈 것이라고는 생각하지 않는다. 하지만 영토분쟁을 해결하기 위해서는 군사적 위협을 피하고 중재 메커니즘과 같이 뚜렷한 국제적 규칙을 확립해야 한다. 그렇게 하는 게 한국과 일본을 비롯한 동아시아 국가들이 공유하는 공동의 이익이다.

김환영 중국의 부상을 어떻게 보는가.

프랜시스 후쿠야마 역시 크게 우려하고 있다. 중국은 2008년이나

2009년 이래 외교정책이 바뀌었다. 중국의 공식문헌을 읽어보면 이 지역 국가들에 대해 전보다 더 공세적이라는 것을 알 수 있다. 옛날처럼 패권국가 위치에 도달했으니 전통적인 동아시아 국제질서에서처럼 다른 나라들이 경의를 표해야 한다는 것이다. 남중국해나 센카쿠 열도(중국명 댜오위다오)를 둘러싼 분쟁도 법적이거나 경제 자원을 둘러싼 분쟁이 아니다. 아시아에서 중국의 패권적 역할을 인정해달라는 중국의 요구와 관련 있다. 일본은 이러한 요구를 쉽사리 용인할 이유가 없다. 그래서 상황이 위험하다. 경제 관점에서만 보면 실제 군사작전을 밀어붙일 합리적인 이유가 하나도 없다. 하지만 아무도 제1차 세계대전이 발발할 거라고 생각하지 않았다는 것을 상기할 필요가 있다.

김환영 정치적 질서는 왜 중요하며 또 어떻게 보장될 수 있는가.

프랜시스 후쿠야마 수년 전부터 많은 경제학자가 강하고 능력 있는 국가 없이는 경제발전도 없다는 사실에 주목하고 있다. 한국이 한국전쟁 이후 그토록 발전한 이유도 한국에 그러한 국가가 있었기 때문이다. 강한 국가state는 법치the rule of law, 책임정부accountable government와 더불어 정치적 질서를 보장하는 정치제도를 구성한다. 하지만 훌륭한 국가의 기원에 대한 좋은 이론이 없다. 『정치 질서의 기원The Origins of Political Order』의 집필 동기다. 정치제도의 역사적 기원을 서술했다.

김환영 정치제도 말고 문화나 문명도 중요한 것 아닌가.

프랜시스 후쿠야마 아니다. 발전은 문화적 뿌리와는 상관없다. 적절한 제도와 정책만 구비되면 어느 나라나 발전할 수 있다. 현재 가장 빨리 발전하는 세계의 지역은 라틴아메리카와 사하라 남부 아프리카다.

탈근대화와 중국의 미래

김환영 '문명충돌론'의 하버드대 새뮤얼 헌팅턴Samuel Huntington(1927~2008) 교수는 후진국의 근대화가 오히려 '정치적 쇠퇴political decay'를 낳는다는 이론으로도 유명하다. 선진국의 경우 탈근대화가 정치적 쇠퇴를 낳고 있는 것인가

프랜시스 후쿠야마 시간이 흐르면 모든 정치체제가 정치적 쇠퇴를 경험할 수 있다. 국가가 지나치게 경직되고 새롭게 달라진 조건에 적응하지 않기 때문이다. 정치체제는 내부자insiders의 포로가 되는 경향이 있다. 그들은 목적을 위해 권력과 자원을 동원해 국가를 조종한다. 정치체제와 상관없이 세계 곳곳에서 반복적으로 발생하는 현상이다. 민주화되지 않은 전통적인 정권이건 확고히 자리잡은 민주국가에서건 공통적으로 발견되는 문제

다. 예컨대 '아랍의 봄'은 헌팅턴 교수가 기술한 그대로 발생한 사례다. 이집트, 튀니지 등의 경우, 경제적·사회적 근대화로 중산층이 생성됐고 국민은 교육을 받았다. 그러나 권위주의 정권은 정치참여를 허용하지 않았다. 그래서 국민이 들고 일어났다.

김환영 같은 논리 틀로 중국의 미래를 조망할 수 있는가.

프랜시스 후쿠야마 그렇다. 중국의 미래와 관련, 제일 큰 문제는 규모가 커진 중산층 때문에 비슷한 일이 벌어질 것인가 하는 문제다. 중국 정권은 아랍 독재정권보다 훨씬 똑똑clever하다. 하지만 정치참여를 허용하지 않는다면 같은 문제에 대면하게 될 것이다. 중국은 언제 폭발할지 모르는 화약통powder keg 위에 앉아 있다. 하지만 미국 같은 선진국도 정치적 쇠퇴를 다른 의미에서 겪고 있는 것은 마찬가지다. 국가와 법치, 책임정부가 균형을 이뤄야 성공적인 정치체제라고 할 수 있다. 중국은 법치가 제한돼 있고 책임정부가 구현되고 있지 않다. 미국의 국가는 긴밀성coherence이 결여돼 있다.

김환영 정당정치 그 자체가 정치적 쇠퇴의 원인이 되고 있는 것은 아닌가.

프랜시스 후쿠야마 아니다. 민주주의가 제대로 기능하기 위해서는 좋은 정당 체제가 절대적으로 필요하다. 국민이 정치에 참여하는 것은 정당이라는 탈것vehicle을 통하기 때문이다. 미국, 한국 등의 나라에서 정당은 경직화ossified돼 지금 상황에 적응하지 못하고 있다. 미국은 극단적인 대립polarization의 현장이다. 특히 공화당은 유권자 중에서도 소규모의 극단적인 유권자들에게만 반응하고 있다. 한국의 경우, 여야는 '서로 아주 편하게 거래하는 사이'라 유권자들에게 진정한 대안을 제시하지 못하고 있다. 그래서 '반정당적 정치인'인 안철수 씨가 난데없이 부상했다.

자유민주주의를 대체하는 보다 앞선 사회는 없다

김환영 '역사종언론'의 현주소는 어떠한가. 중국식 정치, 경제가 대안이 될 가능성은 없는가.

프랜시스 후쿠야마 『역사의 종말The End of History and Last Man』의 논제는 마르크스주의자들이 틀렸으며, 자유민주주의를 대체하는 보다 앞선 사회는 - 공산주의를 비롯해 - 없다는 것이었다. 나는 이 논제가 지금도 맞는다고 생각한다. 중국의 정치체제는 지속가능한 체제가 아니다. 앞으로 50년 후 유럽, 미국, 한국은 지금의 민주정부체제를 유지할지 모르지만 중국의 권위주의, 독재체제는 변할 가능성이 크다. 중국의 정치체제가 안정적이라고 보지 않는다. 지금까지는 잘해 왔으나 중국은 자유민주주의를 대체하는 우월한 모델을 대표하지 않는다. 게다가 다른 나라들이 중국 모델을 복제하는 것은 지극히 어렵다. 나는 중국이 자유민주주의에 대한 진정한 대안이라고 예상하지 않는다. 부자나라가 된 다음에는 갈수록 성장률을 유지하는 게 힘들다. 중국도 경제학자들이 말하는 '중진국 함정middle income trap'에 직면하고 있다. 소득이 높아지면 지금까지와는 아주 다른 일련의 정책이 필요하다. 중국이 실제로 얼마나 변화에 잘 적응할지 알 수 없다.

김환영 그렇다면 중국은 어떻게 변할 것인가.

프랜시스 후쿠야마 중국이 선택할 수 있는 개혁의 방향은 다양하다. 중국은 점진적으로 자유화의 길을 걸어야 한다고 본다. 법치주의를 확장하고 현재의 헌법을 통해 공산당을 제약해야 한다. 중국 유권자들이 적응할 수 있는 속도로 단계적으로 민주주의를 도입할 수 있다. 대만의 경우를 참조할 수도 있다. 대만의 국민당 체제가 민진당DPP에 대해 우선 지방선거 참가를 허용한 것처럼 말이다. 폭발적인 과정보다는 점진적인 과정이 아마 더 낫다고 본다.

김환영 『정치 질서의 기원』에서 가톨릭 교회의 역할을 강조했다.

프랜시스 후쿠야마 종교는 계속 중요하다. 하지만 내 책에서 강조한 가톨릭 교회의 역할은 11세기 때 이야기다. 교회는 유럽에서 법치주의 확립에 결정적인 역할을 했지만 그것은 1000년 전이다. 현대의 가톨릭 교회가 그런 역할을 현대 세계에서 수행할 것으로 예상하지 않는다. 그러나 독립성을 확보한 종교라는 제도는 많은 사회에서 자유를 유지하는 데 지극히 중요하다. 조직화된 종교는 국가의 권력에 대항할 수 있는 제도 중 하나다. 바로 그렇기 때문에 중국 정부는 모든 종교적 표현을 통제하는 데 열심이다.

김환영 유럽과 미국에서 정치적 질서의 쇠퇴는 신뢰의 위기를 동반하는 것 같다.

프랜시스 후쿠야마 유럽에서 독일, 스웨덴, 덴마크, 네덜란드 등 잘하고 있는 개별국가는 많다. 문제는 유럽연합 수준에서 발생하고 있다. 유로화의 위기로 독일은 유럽에서 비난의 대상이 되고 있다. 유럽에서 극복된 것으로 간주됐던 국가 간 대결이 경제위기로 격화됐다. 미국도 다른 이유로 민주, 공화 양당 간의 갈등이 심화돼 '정치적 신뢰'의 수준이 예컨대 50년 전에 비해 낮아졌다. 유럽과 미국이 '정치적 신뢰'의 위기를 겪고 있는 것은 맞다. 하지만 '사회적 신뢰'는 다르다. 가족, 이웃, 교회 등의 장소를 무대로 하는 '사회적 신뢰'는 살아 있다.

미국이 강한 건 세계인의 상상력을 자극하기 때문이다

피터 카젠스타인
전 미국정치학회장

"경제위기에도 불구하고 미국은 세계에서 가장 강한 나라다. 그 힘의 원천은 바로 상상력이다. 미국은 세계인의 상상력을 자극했으며, 오늘날에도 많은 세계인이 자국 사회에 존재하는 희망과 두려움을 미국에 투사하며 미래를 꿈꾼다."

●●●●

같은 학문 분과에서도 전공 분야가 아니면 최근 동향을 좀처럼 알 수 없다. 석학들은 좀 다르다. 그들은 분야를 넘나들 뿐만 아니라 새로운 분야를 정립하고 나서는 학문적 미개척지를 향해 떠난다. 피터 카젠스타인 코넬대 석좌교수가 바로 그런 범주에 속한다. 2008~2009년 미국정치학회APSA 회장인 카젠스타인 교수는 국제정치경제론과 비교정치론 분야에서 세계적인 학자이자 거목이다. 그의 학문적 열정은 독일정치론, 일본정치론, 안보, 지역통합, 반미주의, 문명의 국제정치학 등 정치학의 모든 영역에 흔적을 남겼다.

특히 그는 학문적인 포용성과 다양성이 걸출한 학자다. 사회주의자는 아니지만 소련·동구권 붕괴 이후 정치학에서 마르크스주의 전통이 약화된 것이 학문적으로 큰 손실이며 정치학 담론을 풍성하게 하기 위해서는 마르크스주의가 어떤 형태로든 복귀해야 한다고 주장한 바 있다.

독일 함부르크 출신인 그는 스워스모어칼리지를 졸업하고 하버드대에서 박사학위를 받았다. 특히 정치학에서 주요 분야 중 하나인 국제정치경제학의 창시자 중 한 사람이다. 《이코노미스트》에 따르면 현재도 가장 영향력 있는 국제정치경제학자다. 그는 한국에 대해서도 지대한 관심을 갖고 있다. '한국의 경제성장은 역경 극복의 선물'이라는 제목으로 2008년 10월 《중앙일보》에 기고하기도 했다.

김환영 경제위기에도 불구하고 미국은 세계에서 가장 강한 나라다. 그 힘의 원천은?

피터 카젠스타인 상상력이다. 미국은 세계인의 상상력을 자극한다. 아메리카 대륙은 발견 당시부터 유럽인의 상상력을 자극했다. 오늘날에도 많은 세계인이 자국 사회에 존재하는 희망과 두려움을 미국에 투사하며 미래를 꿈꾼다.

김환영 버락 오바마Barack Obama가 그런 미국의 대통령으로 당선될 수 있었던 원인은 무엇인가.

피터 카젠스타인 정치 지도자로서 오바마가 지닌 카리스마의 정체 또한 상상력의 자극이다. 오바마는 지지자들이 개인적인 희망과 공포를 자신에게 투사시키게 하는 능력이 있다. 그에게 열광하는 다른 나라 사람들 또한 그가 제시하는 상상력의 세계에 초대받고 이에 응한 사람들이다.

김환영 미 행정부가 한국과 일본 같은 강력한 산업정책을 펴지 않는 이유는.

피터 카젠스타인 1960년대와 70년대에 한국과 일본이 펼쳤던 유형의 정부 주도적 산업정책을 미 행정부가 채택할 가능성은 없다. 정부가 산업정책을 펴기 위해 필요한 관료 엘리트가 미국에는 존재하지 않는다. 미국에서는 주로 세제혜택과 보조금 지원이 될 것이다. 미국이 전통적으로 구사하고 있는 거시경제 정책을 대체할 산업정책의 등장은 예상되지 않는다.

김환영 경제민족주의가 미국에서도 등장할 가능성은.

피터 카젠스타인 일본이 급부상하던 80년대에 미국에서도 상당히 강력한 국산품 애용운동Buy American Movement이 있었다. 그러나 오늘날 미국 소비자들은 브랜드의 국적보다 가격에 민감하다. 전 세계적으로 제품의 국적은 이제 의미가 없다. 경제민족주의는 구시대의 유물이다. 경제민족주의가 강력한 한국은 예외적인 경우다. 경제민족주의가 미국에 대두할 가능성은 희박하다.

김환영 민족주의를 넘어 전 세계의 각 지역별로 지역주의가 부상하고 있다. 동아시아는 이러한 조류에 뒤처지고 있는가.

피터 카젠스타인 지역주의의 정도를 측정할 수 있는 한 가지 잣대는 없다. 지역마다 각자의 기준으로 통합이 이루어지고 있다. 유럽지역은 정치통합이 다른 지역에 비해 앞서나가고 있다. 동아시아는 정치통합은 미약하지만 시장통합이 급속도로 이뤄지고 있다. 각 지역은 그들의 정치현실에 맞춰 통합이 추진되고 있다. 유럽연합EU이 지역통합에서 앞서고 있다고 보는 것은 유럽 중심적인 시각이다.

동북아는 통합을 도모하는 가운데 환경위기 해결에 주력해야 할 것

김환영 동아시아 내부의 국제관계는 어떻게 전망하는지.

피터 카젠스타인 역사적으로 동아시아는 강자 편에 서는 편승외교bandwagoning가 강자를 견제하는 균형외교balancing 전통보다 강했다. 편승외교는 동아시아 평화에 기여했다. 균형외교 전통이 강한 유럽의 역사는 유혈의 역사였다. 동아시아는 이러한 역사적 배경을 염두에 둬야 할 것이다.

김환영 중국의 국력이 팽창하고 있는 동아시아에서는 앞으로 어떤 일이 벌어질 것인가.

피터 카젠스타인 당분간 통합 추세가 계속될 것이다. 통합의 정도와 속도는 중국의 안정에 달려 있다. 20~30년 정도 뒤에는 중국 인구의 노령화가 큰 문제로 부상할 것이다. 이때 중국의 눈은 내부로 향하게 된다. 중국이 오늘의 일본처럼 되는 것이다. 일본의 노령화가 야기할 문제는 학자들은 알고 있었으나 언론매체에서 공론화하지 않았다. 동북아시아는 당분간 통합을 도모하는 가운데 환경위기 해결에 주력해야 할 것이다. 동북아시아와 동남아시아국가연합(아세안) 간의 통합도 계속될 것이다.

김환영 국제지역의 부상으로 민족국가는 쇠퇴하는가.

피터 카젠스타인 국제지역이 중요하게 됐다고 해서 민족국가의 중요성이 감소하지 않는다. 국제체제에서 국제지역과 민족국가는 서로의 발전을 지원하며 질서를 형성하는 상호구성적co-constitutive인 관계다.

김환영 지역통합이나 지역주의의 종착점은 민족국가를 넘어선 '인종국가'인가.

피터 카젠스타인 제2차 세계대전이 미국의 승전으로 끝나 인종주의의 생명력은 소멸했다. 미국은 전후 세계에 대한 헤게모니를 쥐게 되자 대내외적인 인종주의와 인종차별을 철폐할 필요성을 체감했다. 그래서 트루먼 행정부는 인종차별을 우선 군부에서 철폐했다. 당시 미 군부는 인종관계에서 가장 진보적인 집단이었다. 20여 년 뒤 민권운동이 발생했으며 다시 20여 년 후 버락 오바마가 대통령으로 당선됐다.

김환영 그러나 유럽연합은 코카서스 인종, 최근 창설된 남미국가연합Unasur은 히스패닉 인종이 중심이 되고 있지 않은가.

피터 카젠스타인 아니다. 중남미에서는 인디오들이 도처에서 집권 세력으로 등장했다. 유럽을 규정하는 것은 인종이 아니라 문화다. 영국, 프랑스, 독일 간의 역사적인 갈등도 문화적 측면이 강하다. 현재 유럽에서 갈등은 인종이 아니라 종교적, 문명적 정체성을 두고 전개되고 있다.

김환영 지난 경제위기는 학문 세계에 어떤 영향을 미칠 것인가. 경제학이나 국제정치경제학 등의 분야에서 대대적인 이론 수정이 필요할까.

피터 카젠스타인 아직 모른다. 요즘 재정경제학자들은 멍청한silly 사람들처럼 보인다. 전 세계 MBA 과정 학생들이 열심히 공부해 온 포트폴리오 이론(대규모 자금의 유리한 분산투자를 위해 수리적으로 체계화한 증권투자 이론)도 잘못된 것으로 판명 났다. 하지만 몇 년이 더 지나야 현 위기의 학문적 함의가 명확해질 것이다.

한국인들이 생각하는 것보다 훨씬 놀라운 나라, 한국

알랭 드 보통
영국 런던 인생학교 교장, 철학자·소설가·수필가

> 한국은 한국인들이 생각하는 것보다 훨씬 놀라운 나라다. 문제도 많다. 특히 한국인의 영혼이 고통받고 있다고 생각한다. 문제에 대한 해결책이 나올 것이다. 해결책이 나오면 한국은 세계 자본주의의 가이드가 될 수 있다.

알랭 드 보통은 스위스 취리히의 유대인 부모에게서 태어난 철학자 겸 소설가, 수필가로, 영국 런던을 활동 근거지로 삼고 있으며, 2008년 런던에 설립한 '인생학교'의 교장이기도 하다. 케임브리지대에서 사학을 전공한 후, 킹스칼리지런던에서 철학 석사를 받았다. 하버드대 박사과정에서 프랑스 철학을 전공하다 뜻한 바 있어 전업 작가의 길로 들어섰다.
기자가 하는 일은 삶과 밀접한 뉴스와 알찬 정보를 독자들에게 재미있게 전달하는 것이다. 기자도 이야기꾼이다. 기자들은 이야기꾼들의 문체나 의사소통 방식에 관심을 가져야 한다. 세계적인 베스트셀러 작가로 우리 시대 최고의 이야기꾼 중 한 명인 그는 좋은 글을 좋아하는 일반 독자들뿐만 아니라 기자에게도 '관심 종목'이다.

김환영 당신은 무엇을 하는 사람인가.

알랭 드 보통 나는 현대인의 문제를, 학부 전공인 역사학의 관점에서 들여다본다. 현대의 특징은 믿을 수 없는 속도의 변화, 기술의 발전, 끊임없이 어딘가로 옮겨 가기, 소비주의, 광고, 첨단 통신 등이다. 이런 특징은 좋은 것들이기도 하지만 우리들을 '미치게' 만든다. '현대라는 이상하고 특이한 시대에 우리가 어떻게 하면 잘살 수 있을까'가 내 관심사다. 종교는 쇠퇴하고 있고, 우리 부모들의 삶을 지배한 전통적인 방식은 붕괴하고 있다. 나는 이들 문제를 이해하고, 이들 문제에 대해 뭔가를 쓰려고 하는 작가다.

김환영 당신은 어떤 작가인가.

알랭 드 보통 에세이essay 작가다. 나는 여러 가지 문체로 글을 쓴다. 어떤 때는 학술 스타일, 어떤 때는 보다 개인적인 스타일로 쓴다. 하지만 내 문체는 기본적으로 에세이 스타일이다.

김환영 작가라는 직업에 수식을 붙인다면 당신은 어떤 작가인가. 예컨대 '행복한 작가', '도발적인 작가'인가.

알랭 드 보통 잘 모르겠다. 나는 '멜랑콜리Melancholy(우울)'라는 단어를 좋아한다. 부정적인 뜻이 담긴 이 말을 좋아하는 이유가 있다. 내가 보기에 현대 세계는 지나치게 쾌활함을 강조한다. 모든 것을 가질 수 있다, 모든 게 완벽할 수 있다고 강요한다. 미국 문화의 산물이다. 하지만 불교나 그리스도교 등 종교 전통에서는 삶의 어려움에 대해서도 가르친다. 삶이나 세계의 불완전함에 적응하도록 가르치는 것이다. 전통의 가르침을 잃어버린 현대인은 심각한 문제에 적응하기 힘들다. 종교에서 가르치는 '우울함의 비관주의melancholy pessimism'를 통해 우리는 '광고에 나오는 활짝 웃는 세상'이라는 편향성을 수정할 수 있다고 생각한다.

종교는 겸허함을 가르치며,
교만이나 죄의식을 피할 수 있게 해

김환영 그리스도교에서 말하는 신神의 섭리providence와 불교, 힌두교에서 말하는 업보karma 중에서 어느 쪽이 더 인간 조건의 실상에 더 가깝다고 보는가.

알랭 드 보통 섭리와 업보는 서로 다르지만, 양쪽 다 과학적인 세계관과는 차이가 있어 공통점이 더 많다. 문제는 '얼마만큼 내가 내 인생을 통제할 수 있느냐', 또 '무엇이 내 인생을 통제하느냐'다. 현대인은 자신이 삶의 주인이라고 믿는다. 그래서 좋은 직업에 종사하면 자신이 훌륭한 사람이기 때문이라고 생각한다. 또 아프게 되면 내가 뭔가 잘못했기 때문이라고 생각하고 죄의식을 느낀다. 종교적 세계관의 좋은 점은, 우리가 모르는 어떤 힘이 작용하고 있다는 것을 일깨워주는 것이다. 종교는 우리에게 겸허함을 가르치는 동시에 교만이나 죄의식 양쪽을 피할 수 있게 해준다. 섭리와 업보는, 우리의 의식이 우리에게 일어나는 모든 것을 통제하는 것은 아니라는 것을 설명하는 기재라고 생각한다.

김환영 예수의 메시지는 무엇이라고 보는가.

알랭 드 보통 그는 권력이 중심이 되는 세계에 살았다. 로마제국은 군사력의 힘과 돈의 힘을 믿었다. 예수는 '우리의 마음은 부자인가'를 물었다고 생각한다. 우리가 가난하고 약한 사람들에게도 따뜻하고 친절한지를 물은 것이다. 그는 초고층 빌딩도, 탱크도, 은행도 사실은 중요하지 않다고 말할 것이다. 만민의, 만민에 대한 그의 사랑 메시지는 현대의 군산복합형 사회에 대한 대안이다.

김환영 신약성서의 요한복음 18장 38절을 보면 빌라도Pilate가 예수에게 '진리란 무엇인가'라고 묻는다. 이상하게도 답이 기록되지 않았다. 답이 자명했기 때문에 기록되지 않았을 수도 있고, 예수가 답하지 않았을 수도 있고, 답에는 관심이 없었던 빌라도가 질문만 하고 딴 데로 가버렸기 때문일 수도 있다. 진리란 무엇이라고 생각하는가.

알랭 드 보통 만약 예수가 침묵했다면, 그가 침묵한 것에 대해 답하는 것은 교만한 것이라고 생각한다. 나는 침묵해야겠다.

김환영 유대교는 어떤 종교인가.

알랭 드 보통 의외로 유대교는 뭔가를 믿는 것을 강조하는 종교가 아니다. 유대교는 오히려 불교와 가깝다. 기적과 같은 초자연적인 현상에 대한 강조가 별로 없다. 유대교는 유대인들의 역사다. 구약성경은 역사책이다. 유대인들의 축제 또한 역사적인 일들을 기념한다. 종교는 합리성과 반대된다는 의견도 있지만, 유대교는 매우 합리적인 종교다. 법과 역사에 매우 가깝다. 그래서 많은 유대인이 역사와 법에 큰 관심을 두고 있다는 것은 놀라운 일이 아니다.

김환영 사랑에 대한 책도 썼는데, 사랑의 핵심은 무엇인가.

알랭 드 보통 사람들이 사랑이라는 혼란에 빠졌다고 생각한다. 두 가지 종류의 사랑이 있다. '사랑하는 것'과 '사랑받는 것'이다. 어릴 때 우리는 사랑받는다. 엄마가 우리에게 음식을 주고 아빠가 우리를 안아준다. 그래서 우리는 사랑이란 우리의 삶을 나이스nice하게 만드는 무엇이라고 체험한다. 하지만 어른이 된 다음에는 사랑을 줘야 한다. 아무리 퇴근 후 지쳤더라도 아이들을 돌봐야 한다. 어른이 된 다음에도 받는 사랑만 알면 혼란에 빠지게 된다. 오늘날 어렸을 때의 받는 사랑밖에 모르는 어른들이 너무 많다. 다른 인간을 위해 나를 희생해 가며 뭔가를 줘야 된다는 것을 모르는 것이다.

김환영 다시 태어나도 작가가 될 것인가.

알랭 드 보통 선택할 수 있다면 책은 안 쓰겠다. 책 쓰는 일은 너무 고통스럽다. 건축가가 되고 싶다. 서울이나 다른 도시들의 모습을 바꿔보고 싶다.

김환영 책 쓰는 게 고통스럽다고 말했지만 거의 모든 주제에 대해 글을 써왔다. '일자리 얻는 법'에 대한 책은 어떤가. 세계 모든 나라의 문제다.

알랭 드 보통 일자리, 돈 문제 등을 다루는 자본주의 일반에 대한 책을 쓰고 싶다. 자본주의 속에서 살아가는 현대인의 불안심리에 대한 책은 이미 썼는데, 앞으로는 자본주의 전체상을 밝히는 책을 쓰고 싶다.

김환영 질투심을 느끼게 하는 사람들, 즉 라이벌이 있는가.

알랭 드 보통 그렇다. 질투심에는 좋은 점이 있다. 질투를 통해 자신이 완전하지 않다는 것을 배우기 때문이다. 정치적인 감각이 뛰어난 친구들, 남을 잘 돕는 친구들을 보면 질투심을 느낀다. 사람마다 다른 이유로 내가 질투하게 한다.

김환영 창의성은 어디에서 나오는가.

알랭 드 보통 창의성은 전통과 자유의 중간에 위치한다고 생각한다. 과거와 과거의 규칙을 충분히 알아야 한다. 그리고 그 규칙을 깨는 것도 필요하다. 세계는 아직도 충분히 한국에 대해 알지 못한다. 한국의 발전단계는 이제 전통보다는 자유가 필요한 시점인 것 같다. 예술이나 건축, 문학, 패션 등의 분야에서 한국이 목소리를 내기 위해 필요한 것은 자유다.

김환영 글쓰기는 언제 하는가.

알랭 드 보통 새벽 3시에 글쓰기를 좋아한다.

김환영 한국은 어떤 나라인가.

알랭 드 보통 한국인들이 생각하는 것보다 훨씬 놀라운 나라다. 문제도 많다. 특히 한국인의 영혼이 고통받고 있다고 생각한다. 문제에 대한 해결책이 나올 것이다. 해결책이 나오면 한국은 세계 자본주의의 가이드가 될 수 있다.

신앙 없지만 종교를 긍정적으로 생각한다

김환영 한국은 아마도 유대인들에게 세상에서 가장 호의적인 나라 중 하나일 것이다. 한 이스라엘 신문은 한국에 가면 집집마다 탈무드가 한 권 있다고 보도한 바 있다. 한국인은 특히 유대인이 왜 뛰어난지 그 창의성의 비결을 궁금해 한다.

알랭 드 보통 유대인들은 수세기 동안 박해를 받았다. 모든 유대인의 공통점은 공포다. 무슨 일이 벌어질지 모르기 때문에 항상 대비한다. 아무리 상황이 안전하게 보여도 말이다. 《샤를리 에브도Charlie Hebdo》에 대한 테러 이후 경찰이 유대인 거주지역을 우선적으로 보호했다. 왜냐하면 무슨 문제가 생기면 '유대인을 죽여야 한다'는 말이 꼭 나오기 때문이다. 옛날이 아니라 현대 파리 한복판에서도 같은 일이 빚어지고 있다. 공포에 휩싸이게 되면 열심히 일하게 되고 창의성을 발휘하게 된다. 돈이라는 것도 보다 중요해진다. 돈 자랑하기 위해서가 아니라 내 가족의 안전을 이 위험한 세상에서 확보하기 위해서다. 또 유대인은 성경 말씀에 따라 청결을 강조한다. 신神 앞에서 정화된 모습으로 서야 하기 때문이다. 그래서 유대인들은 술도 별로 좋아하지 않는다. 이러한 공통의 문화적 특질이 유대인의 비결이라고 생각한다.

김환영 창의성의 전제조건은 '나는 특별하다', '나는 다르다'라는 믿음인데 그리스도 교인들에게 둘러싸인 유대인들은 '자동적으로' 그렇게 느낄 수밖에 없다. 그래서 유대인들은 창의적이라고 볼 수 있을까.

알랭 드 보통 그렇다. 맞는 이론이라고 생각한다. 또 신은 유대인들이 특별하다고 말했다. 이는 다른 민족이 유대인을 싫어하는 이유이기도 하다.

한국이
경제 강대국이 되려면…

故 폴 새뮤얼슨
미국 MIT 석좌교수

> “내가 한국인이라면 스위스나 핀란드, 아일랜드를 잘 살펴보겠다. 이들은 친시장적이면서도 불평등 해소를 위해 노력해 왔다. 스위스를 보라. 교육제도도 미국보다 훌륭하다. 노동자의 자녀들도 양질의 교육을 받을 수 있다. 나는 한국이 양적인 면에서 경제적으로 일류국가가 되려고 너무 집착하지 않기를 바란다. 분배와 불평등 해소도 중요하다.”

●●●●

2008년 9월 미국발 금융위기의 먹구름이 세계경제를 짓누르고 있었다. 큰 문제에는 큰 대답을 해 줄 수 있는 현자가 필요했다. 미국 주류 경제학의 주축으로 '20세기 경제학의 아버지'로 불리는 폴 새뮤얼슨(1915~2009) MIT 석좌교수에게 물었다. 미국인 최초의 노벨경제학상 수상자(1970)인 그는 당시 93세의 나이에도 칼럼을 정기적으로 기고하는 등 현역으로 활동하고 있었다. 그에게 월스트리트 금융위기의 원인에 대해 묻자, 그는 미국의 금융규제 시스템을 가장 큰 문제점으로 지적했다. "80년대 이후 미국 경제는 지나치게 우편향돼 규제가 과도하게 풀렸다. 최근 위기의 가장 큰 화근은 무분별한 규제의 철폐다. 나는 70년 동안 경제학과 경제사를 연구했으며 세계 대공황과 제2차 세계대전도 체험했다. 이를 바탕으로 내린 결론은 경제에 대한 정부의 역할이 넘치지도, 모자라지도 않는 '중도주의'가 최상이라는 것이다."

김환영 이번 미국 대선은 '변화를 위한 선거'라고 한다. 차기 미국 대통령은 어떤 변화를 이끌어야 하나.

폴 새뮤얼슨 경제운용을 오른쪽에서 중앙으로 옮기는 것이다. 경제 행위자 간의 '견제와 균형'이 복원돼야 한다. 지금의 자유방임주의를 그대로 둘 수 없다. 지나치게 확대된 로비스트들의 영향력도 축소해야 한다.

김환영 변화를 추구하는 데 더 나은 후보는 누구라고 보나.

폴 새뮤얼슨 버락 오바마 민주당 후보가 더 낫다. 유색인종에 대한 의구심 때문에 그가 실제로 당선될 수 있을지는 알 수 없다. 오바마가 패하더라도 민주당은 선거에서 상원과 하원을 장악할 것이다. 80년대 이후 미국 경제를 지배해 온 자유지상주의libertarianism는 스스로 무덤을 팠다. 자유지상주의는 적어도 한시적으로 사라질 것이다.

성장률이 3.5%로 떨어지더라도 '세상이 망하는 것처럼' 받아들이지 말라

김환영 한국이 경제 강대국이 되려면 어떻게 해야 하나.

폴 새뮤얼슨 한국의 한계를 직시하고 현실적인 정책을 펴야 한다. 일본과 한국이 선도한 경제전략은 중국과 인도 등이 성공적으로 흉내 내고 있다. 따라서 한국은 산업을 고도화해야 하며, 이를 위해 연구, 교육, 혁신을 위한 투자를 아끼지 말아야 한다. 또한 수출주도적 성장에 지나치게 의존하지 않기 바란다. 수출주도적 성장에는 물론 많은 이점이 있다. 그러나 홀로 설 수 있는 역량도 필요하다. 80년대 말 일본은 세상의 꼭대기에 오른 것으로 착각했다. 일본의 대외의존도가 너무 높다고 계속 지적했으나 일본인들은 내 조언을 받아들이지 않았고, 결국 장기불황에 빠졌다. 한국은 일본을 성공적으로 모방했다. 그러나 한국은 앞으로 일본과 다른 길을 걸어야 할 것이다.

김환영 어떤 나라를 참조할 수 있나.

폴 새뮤얼슨 내가 한국인이라면 스위스나 핀란드, 아일랜드를 잘 살펴보겠다. 이들은 친시장적이면서도 불평등 해소를 위해 노력해 왔다. 스위스를 보라. 교육제도도 미국보다 훌륭하다. 노동자의 자녀들도 양질의 교육을 받을 수 있다. 나는 한국이 양적인 면에서 경제적으로 일류국가가 되려고 너무 집착하지 않기를 바란다. 분배와 불평등 해소도 중요하다.

김환영 유럽의 강소국을 따라 하기엔 한국 인구가 너무 많은 게 아닌가.

폴 새뮤얼슨 키가 큰 환자나 작은 환자나 의사는 같은 처방을 내릴 것이다. 큰 나라건 작은 나라건 경제학자로서 내 진단은 같다.

김환영 한국에 가능한 경제성장률은.

폴 새뮤얼슨 당분간 중국이 9~11%, 미국이 2.5~3% 성장한다고 전제했을 때 한국이 올바른 경제, 교육, 연구 정책을 편다면

5~6% 성장한다고 본다. 한국의 경제성장률이 3.5%로 떨어지더라도 그것을 '세상이 망하는 것처럼' 받아들이지는 말라.

김환영 한국 정부는 대체에너지 산업을 신성장동력으로 삼으려 하는데….

폴 새뮤얼슨 환경운동의 성장과 중동에 대한 에너지 의존 문제 등을 배경으로 대체에너지 개발의 필요성이 증대되고 있는 것은 사실이다. 그러나 대체에너지 산업은 고도의 과학기술력이 필요하다는 것을 알아야 한다. 한국은 줄기세포 연구 등의 분야에서 선두 주자다. 그래서 나는 생명공학이나 생물학이 한국 경제를 구원할 수 있다고 본다. 다만 위대한 야구선수도 항상 홈런만 치는 것은 아니라는 점을 염두에 둬야 한다.

중도파는 좌파 입장에선 우파고, 우파 입장에선 좌파다

김환영 한국의 역대 대통령 중에서 경제적으로 가장 훌륭한 정책을 편 대통령은 누구라고 생각하는가.

폴 새뮤얼슨 그들 중에서 가장 중도주의적인 경제정책을 편 대통령은 누구인가? 바로 그가 가장 훌륭한 경제 대통령이다.

김환영 중도파는 좌파 입장에선 우파고, 우파 입장에선 좌파다. 중도주의 경제학도 좌파라는 우파의 공격을 받을 수 있는데….

폴 새뮤얼슨 그렇다. 루스벨트Franklin Roosevelt 대통령은 케인스Keynes의 경제이론을 활용해 미국을 대공황에서 구원했다. 그러나 후버Herbert Hoover 대통령은 케인스를 공격할 때 말버릇처럼 "마르크스주의자인 케인스 씨는…"이라며 '마르크스주의자'라는 수식어를 꼬박꼬박 붙였다. 물론 케인스는 마르크스주의자가 아니었다. 예나 지금이나 우파는 중도파를 비난하지만 앞으로 5년 후 정도면 현 경제위기도 중도파가 아닌 사람들의 잘못된 생각과 행동으로 빚어진 것이었다는 게 입증될 것이다.

김환영 어떤 지도자의 능력보다 제도가 더 중요하다는 의견도 있다. 지도자에 따라 경제가 달라질 수 있다고 보나.

폴 새뮤얼슨 그렇다. 루스벨트 대통령과 후버 대통령이 얼마나 달랐는지를 보라. 루스벨트 대통령이 아니었으면 미국에서 혁명이 일어났거나 대공황을 20년은 족히 끌었을 것이다.

20세기 가장 위대한 경제학자는 케인스!

김환영 당신을 '20세기 경제학의 아버지'라고 불러도 되나.

폴 새뮤얼슨 나는 근대경제학을 수립한 주역 중 한 사람이다.

김환영 20세기 가장 위대한 경제학자는 누구인가.

폴 새뮤얼슨 존 메이너드 케인스다.

김환영 그렇다면 두 번째로 위대한 경제학자는 누구인가.

폴 새뮤얼슨 의미 없는 질문이다. 모든 과학은 그룹 활동이다. 우리는 실수하고 서로 실수를 고쳐 준다. 과학의 발전은 협력을 통해 이뤄진다. 과학은 두 손 놓고 천재를 기다리는 게 아니다.

김환영 "경제에서 확실한 미래는 없다"고 말한 적이 있다. '사회과학의 여왕'인 경제학은 미래를 잘 예측해야 하는 게 아닌가.

폴 새뮤얼슨 모든 과학은 제한된 지식을 바탕으로 한다. 시간이 지나면 지식의 양은 늘어나지만 이론이 모든 것을 설명할 수는 없다. 그래서 더욱 경제학자들은 최선을 다한다. 내가 학생이었던 70년 전보다 우리는 훨씬 많은 것을 안다. 그러나 70년 후에도 우리가 10년 후를 예측하는 능력은 제한적일 것이다.

후진국에 도시건설 서비스를 통째로 수출하라

폴 로머
미국 뉴욕대 경제학 교수

"한국은 후진국의 발전을 가속화하고 한국 기업과 경제에도 이득이 되는 길을 찾아야 한다. 이번 세기에 도시화는 후진국에서 가장 중요한 현상으로, 후진국의 도시화는 전 세계에 이득이다. 신도시 개발 경험이 풍부한 한국의 건설회사, 설계회사, 부동산개발회사, 도시화와 연관된 정부 기관들이 도시화를 바라는 나라들에 전문지식을 제공하면 양측 모두에 이득이 될 것이다."

●●●●

국제기구들의 분류에 따르면 한국은 선진국이다. 부담스러운 타이틀이다. '준準선진국' 정도의 호칭이 마음을 더 편하게 만들지 모른다. 한국은 복지를 업그레이드해야 하며 이를 위해 성장이 필요하다. 복지와 성장이라는 두 마리 토끼를 잡으려다 둘 다 놓칠 수도 있다. 많은 국민이 우리나라가 선진국이라는 것을 체감하지 못하지만 한국이 개발도상국들을 위해 더 큰일을 해야 한다는 압력도 점점 더 거세지고 있다.

피터 드러커Peter Drucker가 지목한 노벨경제학상 1순위, 경제성장, 발전 전문가인 폴 로머 교수는 한국이 직면한 이런 도전에 도움말을 줄 수 있는 학자다. 뉴욕대 스턴비즈니스스쿨의 경제학 교수인 그에게는 경제학이 '로머 전'과 '로머 후'로 나뉜다는 극찬의 평가도 있다. 신성장이론new-growth theory으로 경제학에서 새로운 분야를 개척했기 때문이다. 일찌감치 경제학계의 스타로 떠오른 그를 폴 크루그먼Paul Krugman 교수는 '1980년대에 가장 영향력 있는 이론가'로 손꼽았다. 1997년, 《타임》은 로머 교수를 '가장 영향력 있는 미국인 25인' 중 한 명으로 선정했다. 《포린폴리시》는 그를 2010년 '세계 100대 사상가' 중 54위로 선정했는데, 그 선정 이유로 수천 개의 홍콩을 만들어 개도국의 경제성장을 도모하자는 이른바 '차터시티charter cities 구상'을 내놓았다는 점을 들었다.

김환영 한국의 경제발전을 평가한다면.

폴 로머 지난 40~50년 동안 한국이 이룩한 경제성장은 주목할 만한 것이었다. 그러나 한국의 이례적인 성공이 가까운 미래에도 지속되리라는 보장은 없다. 성장을 이루기 위한 도전은 소득수준과 경제발전 단계에 따라 다르기 때문이다. 그럼에도 한국은 매우 성공적이라는 종합 평가를 내릴 수 있다.

경제발전과 국제무역은 닮은꼴

김환영 한국은 가난한 나라들을 위해 더 많은 공헌을 해야 한다는 '압력'을 받고 있다. 한국의 경제발전 모델을 수출해야 한다는 주장도 있다. 한국은 저개발국들을 위해 무엇을 할 수 있나.

폴 로머 경제발전과 국제무역은 닮은꼴이다. 개발도상국을 포함, 모든 당사자가 보다 많은 교역과 상호작용으로 잠재적으로 엄청난 이득을 볼 수 있다. 자선charity으로는 안 된다. 개발도상국들이 직면한 도전의 규모로 볼 때 자선은 아무런 효과가 없다. 통상적인 개발원조 방식으로는 안 된다. 한국은 후진국의 발전을 가속화하고 한국 기업과 경제에도 이득이 되는 길을 찾아야 한다. 그런 길이 있다. 현재 후진국에서 가장 큰 기회는 신속하고 효과적인 도시화에 있다는 것을 많은 사람이 인지하고 있다. 이번 세기에 도시화는 후진국에서 가장 중요한 현상이다. 후진국 도시화는 전 세계에 이득이다.

신도시 개발 경험이 풍부한 한국은 경쟁력이 있다. 한국의 건설회사, 설계회사, 부동산개발 회사, 도시화와 연관된 정부 기관들이 도시화를 바라는 나라들에 전문지식을 제공하면 양측 모두에 이득이 될 것이다. 도시 수출이라는 서비스 산업 수출은 한국에 잠재적으로 매우 큰 이득을 안겨 줄 수 있다. 한국은 후진국을 위해 두 가지 역할을 할 수 있다. 효과적인 정부 서비스와 제도를 전수하는 게 하나다. 두 번째 역할은 한국 정부와 기업이 후진국 발전과 산업화를 위해 구체적인 투자에 나서는 것이다.

김환영 수천 개의 차터시티를 만들고 수천 개의 홍콩을 만들자는 구상은 미국이나 한국의 경제성장에도 적용될 수 있는가.

폴 로머 국내 차원에서 보면 선진국보다는 후진국에 더 맞다. 후진국에는 도시의 수가 부족하다. 후진국에는 도시 이주를 바라는 수십억 명의 사람이 있다. 새로운 도시 환경에 대한 엄청난 수요를 충족시키기 위해서는 기존 도시들을 확장할 수도 있지만 새로운 도시를 건설할 수도 있다. 차터시티 구상은 새로운 도시 건설로 문화적 변화의 과정을 가속화하자는 것이다. 미국이나 한국은 이미 상대적으로 도시화가 많이 진전돼 도시로 이주하길 바라는 농업지역 사람이 많지 않다. 미국이나 한국이 대규모 이민을 받아들인다면 이야기가 달라질 수 있다. 현재로서는 선진국들은 대규모 이민을 바라지 않는다. 그러므로 도시 건설은 후진국이 주무대다.

김환영 한국은 느린 성장에서 빠른 성장으로, 빠른 성장에서 다시 느린 성장으로 옮겨갔다.

폴 로머 선진국이 주도하는 '기술의 프런티어technological frontier'에 다가갈 때에는 빠른 성장이 가능하다. 개방이나 규칙 시스템의 변화를 통한 따라잡기catch-up가 끝나고 기술의 프런티어에 근접하면 성장이 둔화된다. 기술의 프런티어에 거의 다다른 한국은 이미 알려진 것을 모방해도 이익이 그 전만 못하다. 전혀 새로운 것을 발견하는 것은 훨씬 어렵고 더딘 과정이다.

'중진국 함정'은 숙명 아니다

김환영 중진국 함정middle-income trap이나 선진국 함정high-income trap은 어쩔 수 없는가.

폴 로머 중진국 함정, 선진국 함정이 일반적인 현상이라고는 생각하지 않는다. 국가나 기업이나 마찬가지라고 생각하는데, 이들은 협력을 통해 엄청난 이득을 얻는다. 협력은 규칙의 시스템a system of rules을 통해 이뤄진다. 규칙은 또한 고성장과 성공적인 혁신을 가능하게 한다. 문제는 한때 효과적이었던 규칙들이 세상이 바뀐 다음에도 살아남는다는 것이다. 세상이 바뀌었는데 규칙이 바뀌지 않으면 성장이 둔화된다. 성장률 둔화 원인에는 두 가지가 있다. 프런티어에 다가감에 따라 성장률이 둔화되는 것은 불가피하다. 규칙을 수정하지 않아 발생하는 성장률 둔화는 피할 수 있다.

김환영 문화와 경제성장은 어떤 관계인가.

폴 로머 문화는 법과 더불어 규칙을 결정하는 요소 중 하나다. 문화의 핵심적인 요소는 무엇이 옳고 그른지에 대한 믿음이다. 이러한 믿음, 문화에는 끈질긴 생명력이 있다. 하지만 문화는 매우 빨리 변화하기도 한다. 예를 들면 남한과 북한은 분단 이후 매우 빠른 속도로 멀어져 갔다. 남한의 문화는 세계 다른 나라들과의 상호작용, 투자, 교육 등에 대응하며 변화했다. 경제성장을 북돋우기 위해 문화를 바꾸는 것은 세계 모든 나라에 열린 옵션이다.

김환영 한국은 모든 정치 세력이 보다 많은 복지를 약속하고 있다. 어떤 복지를 선택해야 하나.

폴 로머 어떤 복지를 선택할 것인가는 사람들이 살고 싶어 하는 사회의 종류를 선택하는 문제다. 많은 사람이 보다 많은 평등,

특히 기회의 평등이 더 많은 사회에 살고자 할 것이다. 또한 사람들은 인생에서 경험할 수 있는 극단적인 불행이나 위험으로부터 더 많은 보호를 보장하는 사회를 바랄 것이다. 기회와 보호를 제공하는 방식은 매우 다양하다. 더 많은 기회와 보장을 제공하는 복지를 결정할 때 한국의 유권자와 국민은 이 두 목표에 대한 다양한 접근법을 살펴봐야 한다고 생각한다. 가장 흔한 복지유형이라고 해서, 혹은 유럽이나 미국 사람들이 표방한다고 해서 맹목적으로 모방하지 말아야 한다. 보호와 기회를 보장하는 여러 시스템 중에서도 다른 것들보다 더 잘 작동하는 것들이 있다.

김환영 세계화는 경제성장을 위해서 좋은 것인가. 점차 더 많은 사람이 그렇지 않다고 느끼고 있다.

폴 로머 세계화는 명백히 세계 곳곳에서 활용 가능한 자원과 기회를 증진시킨다. 세계화를 비판하는 사람들이 우려하는 것은 세계화로부터 얻는 과실이 공평하게 분배되지 않는다는 것이다. 어떤 사람들은 이득, 어떤 사람들을 손해를 본다는 것이다. 적어도 충분한 정보가 있는 사람들은 분배문제를 제기할 뿐 세계화 자체가 나쁘다고 하지는 않는다. 누구에게나 좋은 세계화의 성과도 있다. 예를 들면 질병을 퇴치할 수 있는 신약이 발견되면 전 세계 사람들이 그 약의 원산지를 따지지 않고 치료에 사용한다. 이러한 의미의 세계화, 가치 있는 지식을 전 세계적으로 활용하는 것은 명백히 지지할 만한 것이다.

김환영 포스트모던post-modern이라는 말은 경제학자들에게도 의미가 있는가.

폴 로머 세계는 계속 변화한다. 변화를 기술하는 표현이 필요하다. 하지만 나는 포스트모던이라는 말은 좋아하지 않는다. 보통 '모던modern'이라는 말은 가장 최근의 것을 지칭한다. 그러므로 포스트모던이라는 말에는 어폐가 있다. 그러나 오늘의 세계는 20년, 50년 전 세계와 다르다. 한국이나 미국이 직면한 사회구조에 대한 도전은 20년 전과 다르다. 우리가 계속 적응하는 게 중요하다. 특히 규칙을 새로운 환경에 적응시켜야 한다. 법이나 옳고 그름에 대한 규범도 세상의 변화에 따라 끊임없이 변화해야 한다.

독일 히든 챔피언의 대·중소기업 간 신뢰·존중을 배우라

헤르만 지몬
지몬·쿠허&파트너스 회장

" 독일 중소기업은 자신감이 있고, 스스로를 대기업의 '노예'라고 보지 않는다. 대·중소기업 관계는 대등한 입장에서 설정된다. 물론 대기업들은 제품가격을 낮추라는 압력을 중소기업에 가하기도 한다. 하지만 일반적으로 독일의 대·중소기업 관계는 상호 신뢰와 존중의 관계다. 중소기업들이 경쟁력이 강력한 제품을 생산하고 또 항상 혁신하기 때문에 대기업들은 중소기업들을 잘 대할 수밖에 없다. "

●●●●

대한민국은 평가기준에 따라 이미 선진국이거나 선진국 문턱에 있는 나라다. 모든 기준으로 명실상부한 선진국이 되려면 강력한 영감의 원천, 즉 롤모델이 필요하다. 한데 거의 모든 선진국은 크고 작은 자체 내부 문제를 안고 있다. 각자 '제 코가 석자'다.

대한민국의 선진국 입성은 어쩌면 독일로부터 '무엇을 어떻게 얼마나 빨리' 배우느냐에 달렸다 해도 과언이 아니다. '히든 챔피언hidden champion'에 답이 있다. 히든 챔피언은 독일에서 '일상적 용어household term'다. 국내에서도 히든 챔피언에 대한 관심이 고조된 지 꽤 됐다.

히든 챔피언의 조건은 세 가지다. 첫째, 세계 시장에서 시장점유율이 3위 안에 들거나 어느 한 대륙에서 1위여야 한다. 둘째, 수익은 연간 40억 달러 이하다. 셋째, 일반인들은 잘 모르는 기업이다. 히든 챔피언의 개념을 정립한 학자는 헤르만 지몬이다. '경영학의 아버지'는 피터 드러커인데, 헤르만 지몬은 유럽의 '피터 드러커'라 불린다. 독일 마인츠대와 빌레펠트 소재의 대학들, 그리고 미국 하버드대, 스탠퍼드대, MIT 등에서 교수생활을 한 그는, 25개 언어로 번역된 30권 이상의 책을 저술했다. 히든 챔피언에 대한 궁금증을 풀기 위해 그를 인터뷰했다.

김환영 문화적·역사적 차이 때문에 히든 챔피언 모델을 다른 나라로 이식하는 게 불가능한 것은 아닌가.

헤르만 지몬 타당성 있는 의문 제기다. 역사나 문화는 분명 히든 챔피언이 독일에 있을 수 있었던 큰 배경으로 작용했다. 역사를 바꿀 수는 없지만, 히든 챔피언 모델에는 다른 나라로 이식할 수 있는 요소들이 있다. 예컨대 독일의 성공과 히든 챔피언 성공의 기둥인 독일의 직업훈련 교육체제는 다른 나라로 이식될 수 있다. 독일의 직업훈련 교육은 '이중 체제dual system'로 돼 있다. 국가가 운영하는 직업학교에 다니는 학생들은 회사에 소속돼 매주 3일 유급 실기훈련을 받는다. 일주일에 이틀은 직업학교에서 이론을 배운다.
브라질, 중국, 인도 같은 신흥국뿐 아니라 미국 등 선진국으로 진출한 독일 회사들은 이 시스템을 현지에 도입했다. 독일 내에서와 같이 높은 수준으로 숙련된 노동력이 필요하기 때문이다. 직업학교 운영에는 독일상공회의소, 독일 기업들뿐만 아니라 현지 기업이 참가한다. 중국과 인도의 경우에는 정부까지 직업교육 이니셔티브에 가담했다. 이식과정이 쉽지는 않다. 시간이 걸린다.

김환영 교육 다음으로 중요한 히든 챔피언 모델의 요소는.

헤르만 지몬 기업가정신이 매우 중요하다. 이를 구현할 인재들이 히든 챔피언 회사에 입사해야 한다. 한국의 문제는 최상급 젊은 인재들이 대기업을 선호한다는 점이다. 독일도 과거에는 그랬다. 요즘에는 중소기업에 입사하거나 창업하는 인재들이 많아졌다. 미국은 더욱 급격하게 바뀌었다. 아들이 하버드대에서

MBA를 받았는데, 아들의 많은 동급생들이 빠르게 성장하는 실리콘밸리 소재 회사에 입사하거나 창업했다. 다시 강조하자면 시간이 걸린다. 문화가 바뀌어야 하기 때문이다. 하지만 히든 챔피언 모델의 전파와 수용을 막는 근본적인 장애는 없다.

독일은
삼성의 혁신 집중력에 감탄

김환영 히든 챔피언은 특정 산업 부문에만 적용될 수 있는 것은 아닌지.

헤르만 지몬 아니다. 전통·첨단 산업, 제조업과 서비스 산업 등 모든 산업에 적용할 수 있다. 독일 히든 챔피언의 경우 69%가 기업 간 거래(B2B), 20%가 소비재, 11%가 서비스 산업에 속한다. 내가 창립한 지몬·쿠허 & 파트너스Simon-Kucher & Partners는 컨설팅 회사인데 모든 히든 챔피언 원리를 적용한다. 나는 16년간 교수생활을 했는데, 히든 챔피언을 연구하는 과정에서 습득한 원리로 컨설팅 현장의 문제를 해결하고 있다. 내 전문분야는 가격 책정이다. 사실 일반 경영 컨설팅이 아니라 가격 컨설팅만으로 회사를 키우기에는 독일 시장이 협소했다. 그래서 1996년 미국으로 진출했다. 현재 23개국에 27개 지점이 있다. 우리 회사의 사례에서 볼 수 있는 것처럼, 지식집약형 회사에도 히든 챔피언의 원리를 적용할 수 있다.

김환영 한국의 중소기업들이 히든 챔피언이 될 수 있는 가능성은.

헤르만 지몬 한국에는 히든 챔피언이 될 수 있는 잠재력이 충분한 중소기업들이 많다고 확신한다. 삼성, 현대, LG에 제품과 용역을 공급하는 회사가 된 것은 그만큼 실력을 인정받았기 때문이다. 한국 중소기업과 독일 중소기업이 다른 점은 기술력 격차가 아니다. 한국 중소기업들에게 필요한 것은 국제화 달성을 향한 용기다. 시간이 걸릴 것이다. 하지만 가능하다.

김환영 국제화하려면 정부와 사회의 어떤 지원이 필요한가.

헤르만 지몬 젊은 세대는 내가 글로발리아Globalia라고 부르는 '세계화된 세계'의 주역이다. 젊은이들에게 국제체험의 기회를 줘야 한다. 나는 더 많은 한·독 학생 교류, 국제 인턴십을 제안한다. 젊은이들에게 국제화 교육을 시키는 것은 미래를 위해 매우 중요하다. 미래 경쟁력 확보를 위해서는 그게 필수다.

김환영 한국의 대기업들도 히든 챔피언으로부터 영감을 받을 게 있는지.

헤르만 지몬 그렇다. 지멘스Siemens나 바스프BASF 등 독일 대기업들은 내게 히든 챔피언에 대해 강연해달라고 요청한다. 이들 대기업들은 사실 히든 챔피언 크기의 사업부문들의 연합체라고도 볼 수 있다. 예컨대 연수익 500억 달러는 50개 사업부문이 평균 10억씩 올리는 연수익을 통해 달성되는 것이다. 사업부문이 다양화되면 그만큼 관리가 어렵다. 관리를 잘하는 회사도 있지만, 지나치게 중앙집중화된 관리체제로 운영 효율성이 떨어진 회사도 많다. 그런 경우 히든 챔피언 발상을 도입하는 게 도움이 된다.

아예 사업부문을 분사시키는 게 바람직한 경우도 있다. 지멘스의 치과장비 부문, 보청기 부문 등 대기업의 한 부문이 분사를 통해 히든 챔피언이 된 사례가 많다. 분사하면 히든 챔피언처럼 시장에 보다 빨리 반응하게 된다. 한국 대기업의 경우도 분사를 통해 히든 챔피언을 키울 잠재력이 엄청나게 크다고 본다.

김환영 독일에서 대기업과 히든 챔피언의 관계는 어떻게 설정돼 있나.

헤르만 지몬 독일 중소기업은 우선 자신감이 있다. 스스로를 대기업의 '노예'라고 보지 않는다. 대·중소기업 관계는 대등한 입장에서 설정된다. 물론 대기업들은 제품가격을 낮추라는 압력을 중소기업에 가하기도 한다. 하지만 일반적으로 독일의 대·중소기업 관계는 상호 신뢰와 존중의 관계다. 중소기업들이 경쟁력이 강력한 제품을 생산하고 또 항상 혁신하기 때문에 대기업들은 중소기업들을 잘 대할 수밖에 없다.

김환영 그런 바람직한 관계를 유도하기 위한 법적 장치도 있나.

헤르만 지몬 별도의 법은 없다. 물론 일반적인 제한을 두고 있다. 대기업들이 독점적 지위를 남용하는 것은 법으로 금지돼 있다.

김환영 한·독 관계는 어떻게 발전해야 하는가.

헤르만 지몬 양국은 서로 배울 게 많다. 양국은 분단의 역사를 공유한다. 독일은 1990년 예상치 못한 통일을 하는 과정에서 실수가 있었다. 한국은 독일의 실수로부터 배울 게 있다. 예컨대, 독일은 동독 지역 중소기업에 대해 관심이 부족했다. 동독 기업 대부분은 독일, 프랑스, 미국 기업에 팔렸다. 언젠가는 한국도 통일된다. 통일한국은 북한 지역 중소기업 육성에 힘을 기울여야 할 것이다.
독일 중소기업과 대기업은 한국으로부터 배울 게 많다. 한국 대기업은 특히 혁신과정의 전개가 빠르다. 특히 삼성이 어떤 혁신 목표를 추구할 때에 집중력이 뛰어나다. 삼성은 '늦으면 잃고, 이르면 얻는다'는 신념하에 움직인다고 평가할 수 있다. 학업성취도의 국제비교에서도 한국은 항상 선두다. 한국 사회는 또한 아주 잘 조직화된 사회다. 최근 독일 사회의 구조와 질서는 느슨해진 감이 있다. 한국에서 열차는 제 시간에 온다. 예전에는 그렇지 않았는데, 독일에서는 열차가 정시에 오지 않는다.

통일한국은 '옛 북한'에 중소기업 육성해야

김환영 독일 통일 이후, 옛 동독 지역에도 히든 챔피언이 등장했는지. 이 문제는 미래 통일한국의 옛 북한 지역 발전에도 중요하다.

헤르만 지몬 1995년 히든 챔피언에 대한 첫 번째 책을 발간했을 때, 옛 동독 지역에는 히든 챔피언이 3개 있었다. 2012년에 다시 조사해보니 45개로 늘었다. 독일 전체에는 1,300여 개가 있다. 하지만 3개에서 45개로 늘었다는 것은 긍정적인 신호다. 3년, 5년에 급격히 늘어나는 것은 아니다. 앞으로 20여 년 동안 옛 동독 내 히든 챔피언 수는 지금보다 2~3배 늘어날 것이라고 전망한다.

김환영 마지막으로 한국의 독자들에게 강조할 게 있다면….

헤르만 지몬 나는 1989년 10월 25일 뮌헨에서 12명의 독일 대기업 최고경영자 모임에 참석했다. 아디다스Adidas의 CEO는 '동독 올림픽 팀과 1992년 바르셀로나 올림픽을 위해 방금 계약했다.

이 계약이 아디다스가 동독 팀과 체결하는 마지막 계약이 될 것이라고 본다'고 말했다. 그의 말을 들은 나머지 11명의 CEO들은 '당신 미쳤나? 4~5년 내로 동독이 사라진다는 말이냐'고 물었다. 아디다스 CEO는 '그렇다'고 대답했다. 2주 후인 11월 9일 베를린 장벽이 붕괴됐고 동독은 사라졌다. 같은 일이 한국에서 벌어질 수 있다. 이처럼 통일의 그날은 전혀 예측할 수 없기 때문에 한국은 준비해야 한다.

경제보다는 정치적·심리적 문제가 더 시급하다

슬라보이 지제크
슬로베니아 류블랴나대 사회학연구소 선임연구원

"한국의 젊은 세대는 세계에서 자살률이 가장 높은 수준이다. 이들은 미친 듯이 일하며 야심도 크다. 한편, 컴퓨터 게임 등 손쉬운 쾌락에 빠져 늘 컴퓨터 앞에 앉아 있다. 이들의 정열을 높이 사지만 장기적으로 이러한 심리적 불안정 상태가 파국을 부를 수 있다. 하지만 한국은 잘하고 있고 번영을 누리고 있다. 오히려 그렇기 때문에 지금 암흑기에 대비해야 한다."

●●●●

한국에 대해 호의적인 해외 지식인이나 정치인들을 보통 '지한파知韓派' 라 부른다. 더 나아가 '친한파親韓派'라 불러도 무방한 인물이 있다. 세계적인 마르크스주의 철학자 슬라보이 지제크다. 옛 유고슬라비아 출생의 대륙철학자이자 정치이론, 영화이론, 이론정신분석학의 대가인 지제크는 런던이나 파리에 가서도 비빔밥을 찾는다. 지제크가 한국인을 좋아하는 이유는, 겉과 속이 같고 예절 바르고 따뜻하며 겸허하기 때문이란다. 지제크는 《포린폴리시》가 2012년 선정한 '100대 글로벌 사상가'로, '문화이론의 엘비스 프레슬리Elvis Presley'라 불린다. 전 세계 차원에서 그는 왜 그토록 인기가 드높을까. 어쩌면 소련, 동구권이 망한 후 '마르크스주의의 목소리'를 상당 부분 대변하기 때문일 터다. 냉전시기에는 마르크스주의와 자본주의, 의회민주주의, 베버주의Weberianism 등으로 구성되는 비非마르크스주의가 사상의 양대 산맥이었다. 지금 마르크스주의는 '소수의견'에 불과하지만 적어도 가끔은 소수의견에 경청할 필요가 있다.

김환영 요즘 세계는 어떻게 돌아가고 있나.

슬라보이 지제크 '부채의 종언'이 필요한 시대다. 프랜시스 후쿠야마는 '역사의 종언'을 꿈꿨다. 민주주의적 자본주의가 역사의 최종 공식이라는 관념이다. 이 모델로 전 인류를 설득시키는 것은 시간문제라는 관점이다.

점점 더 명확해지고 있는 사실은 전 지구적 자본주의에 적합한 정치질서는 권위주의라는 점이다. 자본주의와 민주주의의 '결혼'은 영원할 것 같았지만 이 결합은 서서히 붕괴하고 있다. 특히 강대국들은 국민 모르게 비밀스러운 협상과정으로 무역협정뿐만 아니라 돈과 정보, 서비스의 흐름을 규율할 협정을 맺고 있다. 투명성이 사라지고 있다. 국내에서 아무리 민주적인 과정으로 지도자들을 선출해도 지도자들은 국제협정의 규칙을 지켜야 한다.

김환영 하지만 민주적인 토론이 살아 있다.

슬라보이 지제크 서구 민주국가들은 낙태 권리라든가 동성 결혼에 대해 정치토론을 하고 있다. 하지만 근본적인 결정은 비밀리에 행사되고 있다. 시민은 정보가 없다. 개인 차원에서는 자유가 있다. 우리는 일자리나 읽고 싶은 책, 여행지를 자유롭게 선택한다. 섹스도 하고 싶은 방식으로 한다. 하지만 내 자유를 규정하는 사회제도는 점점 더 비민주적으로 결정되고 있다. 이런 성향은 미래에도 지속될 것이다. 그래서 나는 비관적이다.

철학자의 소명은 해답 제시 아닌 문제 제기

김환영 공산주의는 부의 창출과 민주주의 양면에서 실패했다.

슬라보이 지제크 전적으로 동의한다. 공산주의는 인류 역사에서 최대의 윤리적, 경제적, 정치적 실패사례 중 하나다. 20세기식 공산주의가 부활할 가능성은 전무하다. '21세기 레닌'이나 공산당은 우리를 구원할 수 없다. 이미 끝난 일이다.
중국이나 베트남 공산당만 해도 훌륭한 자본주의 규제기관으로 기능하고 있다. 가장 역동적 경제체제인 자본주의를 공산당이 운영하고 있다는 사실은 내게 최대의 아이러니다.

김환영 그렇다면 왜 자본주의를 비판하는가.

슬라보이 지제크 나는 자본주의를 비판만 하는 게 아니다. 자본주의는 인류 역사에서 가장 생산적이고 역동적인 경제질서다. 하지만 자본주의는 한계에 다다르고 있다. 환경재앙을 막는 문제뿐만 아니라 시장의 문제 그 자체를 해결하는 데 자본주의는 역부족이다. 지적재산권 문제만 해도 자본주의는 한계에 도달했다. DVD가 거의 사라지고 있다. 음악, 영화 등의 데이터가 '해적' 활동을 통해 이동하고 있다. 거의 공산주의적인 현상이다. 새로운 공동체적 질서가 생성되고 있다. 장기적으로는 사유재산에 기초한 자본주의가 이런 문제를 다룰 수 없다고 본다.
금융이나 환경, 이민 문제는 자본주의가 통제할 수 없는 분야다. 베를린 장벽은 사라졌지만 여기저기서 새로운 장벽을 쌓아 올리고 있다. 미국은 미국-멕시코 국경에, 그리스, 불가리아는 터키와의 국경에, 터키는 시리아와의 국경에 장벽을 쌓고 있지 않은가. 패러독스다. 오늘날 자본주의는 상품의 이동 측면에서는 글로벌하다. 하지만 사람들의 이동 측면에서는 그렇지 못하다.

김환영 이주 제한은 어떤 문제를 발생시키는가.

슬라보이 지제크 우리들은 새로운 형태의 아파르트헤이트Apartheid에 접근하고 있다. 완전한 시민이 있고, 그늘에서 살고 있는 불법 이민자들이 있다. 나는 모든 선진국의 국경을 완전 개방하자고 주장하는 게 아니다. 그렇게 하면 결과는 완전한 혼돈이다. 하지만 현 상태를 방치하면 무질서는 점점 더 증가한다. 내전을 방불케 하는 상황이 전개될 수 있다.
자본주의에 대한 엄격한 제한이 필요하다. 지금 이대로 가면 누구도 살고 싶지 않은 아파르트헤이트 사회가 도래할 것이다. 소수의 부자와 다수의 가난한 사람들이 서로 격리돼 살게 될 것이다. 내가 이런 이야기를 하면 사람들은 '당신 미쳤냐'고 반응한다. 나는 이렇게 대답한다. '이미 할리우드도 알고 있다'고 말이다. 최근 할리우드 블록버스터는 '종말 이후post-apocalyptic'의 세상을 다루고 있다. 대놓고 이야기하는 사람들은 많지 않지만, '새로운 아파르트헤이트 계급사회'가 다가오고 있다는 것이 비밀리에 논의되고 있다. 위험한 상황이다.

김환영 도래하는 사회, 체제는.

슬라보이 지제크 공산주의 2.0이라고 말하겠다. 옛 공산주의의 반복은 절대 아니다. 환경, 정치, 영성, 경제의 측면에서 옛 공산주의는 자본주의보다도 더 나빴다. 철저히 파산했다. 내가 말하려는 것은 시장 메커니즘의 바깥에서 환경이나 금융 등의 문제에 대한 규제방법을 발견할 필요가 있다는 것이다. 사회민주주의의 복지국가에도 해답이 없다고 본다. 협동조합이나 지역공동체에서 해답을 찾자는 주장도 있는데 나는 회의적이다. 거대한 규모의 국제조직이 필요하다고 본다.
후쿠시마 사태를 상기해보자. 피해규모가 더 컸으면 3,000만~4,000만 명을 이주시켜야 했다. 누가 어떻게 그들을 이주시켜야 했을까. 사하라 사막은 점점 더 커지고 있다. 중국 일부 지역도 사막화가 진행되고 있다. 반면, 따뜻해지고 있는 시베리아는 새로운 농업생산의 가능성이 열리고 있다. 전 지구적 차원의 이주가 필요하다. 옛날에는 이주가 필요하면 전쟁을 하면 됐다. 지금은 아니다. 세계의 모든 문제가 새로운 형태의 대규모 국제적인 협력을 필요로 하고 있다. 우리는 아직 준비도 능력도 없다.

김환영 무엇을 해야 하나.

슬라보이 지제크 나는 모른다. 명료한 아이디어가 없다. 내가 아는 것은 우리가 아무것도 안 하면 위험한 시대가 도래할 거라는 점이다. 냉전시대에는 미·소라는 초강대국이 있었고 게임의 법칙이 명확했다. 오늘날 미국은 유일한 국제 경찰관이 아니다. 바야흐로 도래하고 있는 다극체제는 19세기 말 상황과 유사하다. 국제사회의 규칙이 불명확했기에 결과는 세계전쟁이었다. 우크라이나에서 러시아와 서구가 충돌하고 있다. 확실한 규칙은 없고 신경만 날카로운 가운데 사태가 어떻게 전개될지 아무도 모른다.

김환영 기술이 혁신적으로 발달하면 국제정치를 포함해 모든 게 확 바뀔까.

슬라보이 지제크 틀림없이 그렇다. 몸과 정신의 특질이 바뀌게 될 것이며 새로운 통제방식이 부상할 것이다. 새로운 인류가 등장할 것이다. 하지만 그 결과는 간단하지 않다. 비관론자들은 인류가 로봇처럼 된다고 말한다. 낙관론자들은 인류가 새로운 영적인 통합을 달성한다고 예측한다. 기술진보의 여파는 어떤 모습일지 확실하지 않지만 확실한 것은 '투쟁'이 계속된다는 점이다.

김환영 우려할 만한 투쟁은.

슬라보이 지제크 아랍 세계뿐만 아니라 서구에서 근본주의가 득세하고 있다. 보통 사람들이 받아들이기에는 그들이 목도하고 있는 '미친 듯한' 역동적인 변화는 너무 심하다. 그래서 어떤 이들은 새로운 근본주의에서 안정감을 찾는다. 문제는 근본주의가 기술 측면에서는 보수적이 아니라는 점이다. 이슬람국가만 해도 기술 면에서는 초현대적이다. 근본주의와 초현대적 디지털, 무기 체제의 결합은 위험하다.

김환영 한국을 어떻게 보는가.

슬라보이 지제크 한국은 운 좋은 나라 중 하나다. 나는 한국을 정말 좋아한다. 한국의 문화에 대해 공부했다. 경탄을 금할 수 없다. 한국 영화도 좋아한다. 내 조국 슬로베니아도 강대국 사이에 낀 샌드위치 신세다. 중국, 일본, 러시아 사이에 끼어 있는 한국은 '의기양양하게triumphantly' 성공했다.

통일, 남한이 북한 기다리며 관찰해야

김환영 한국에 문제가 있다면….

슬라보이 지제크 경제보다는 정치적, 심리적 문제가 더 시급하다고 본다. 한국의 젊은 세대는 세계에서 자살률이 가장 높은 수준이다. 한국의 젊은이들은 일에 중독됐다. 미친 듯이 일하며 야심도 크다. 한편, 컴퓨터 게임 등 손쉬운 쾌락fast pleasure에 빠져 있다. 늘 컴퓨터 앞에 앉아 있다. 내 아들이 그러는데 국제

컴퓨터 게임 배틀에서 한국인들이 참가하면 상대편은 보나마나 진다고 했다. 꼭 부정적인 것만은 아니다. 나는 한국인 게이머들의 정열을 높이 산다. 하지면 장기적으로 이러한 심리적 불안정 상태가 파국을 부를 수 있다.
한국은 잘하고 있다. 번영을 누리고 있다. 오히려 그렇기 때문에 지금 암흑기에 대비해야 한다. 암흑기에는 사람들이 문제를 제기하고 또 현명하게 된다.

김환영 해결책은 어디에 있나.

슬라보이 지제크 흔히 전통 종교와 문화를 복원해야 한다는 말이 나올 수 있다. 최소한의 공동체 의식을 되살리기 위해서다. 중국 또한 종교의 정치화를 막는 한편 종교를 후원한다. 사회 불안정을 두려워하기 때문이다. 하지만 나는 전통에 해법이 있다고 보지 않는다. 어쩌면 새로운 해답이 한국에서 나올 수 있다고 본다.

김환영 철학은 세상을 바꿀 수 있나.

슬라보이 지제크 철학이 세상을 바꾼 적은 없다. 철학의 공헌을 과장하면 안 된다. 철학자가 할 일은 세상을 바꾸는 게 아니라 세상 사람들이 문제를 인식하게 하는 것이다. '당신들은 문제가 뭔지 안다고 생각하지만, 당신들의 문제인식 자체가 문제다'라고 말해야 한다. 세상은 바뀌고 있지만 우리는 세상이 어떻게 바뀌고 있는지 잘 모른다. 변화 속에서 '자유란 무엇인가', '어떤 자유인가', '지금의 자유는 충분한가' 등과 같은 문제를 고민해야 하는 게 철학자들이다.

김환영 경희대 석좌교수로서 한국 학생들을 가르쳤다.

슬라보이 지제크 놀라운 학생들이다. 진지하고 겸허하며 열심히 공부한다. 미국 학생들은 어려운 철학자들에 대해 알려고 하지 않는다. 그들은 잘 모르면서도 토론이 가능하다고 생각한다. '싫다', '좋다'를 예단한다. 나는 미국 학생들에게 '일단 알고 나서 싫어하라'고 말한다. 한국 학생들은 인내심을 가지고 철학과 철학자들을 이해하려고 한다. 내가 한국말을 몰라 한국인의 지적 세계로 침투할 수 없어서 아쉬울 뿐이다.

김환영 한반도 통일에 대해선 어떤 생각을 하고 있는지.

슬라보이 지제크 한국에는 아무런 책무가 없다. 통일은 북한에서 어떤 일이 벌어지느냐에 달렸다고 본다. 북한 정권은 영원히 지속될 수 없다. 북한은 이미 국제적인 정보유통체제에 편입되고 있다. 북한은 붕괴한다. 한국이 지나치게 걱정할 필요는 없다. 한국은 기다리고 관찰하고 조심하면 된다. 한국이 너무 적극적으로 나설 필요도 없다고 본다.

민주주의의 선두주자인 미국·영국·프랑스에도 문제는 있다

에마뉘엘 토드
프랑스 국립인구학연구원(INED) 연구원

> "민주주의의 부상도 불가피하다고 보지만 역시 나라마다 다르다. 좌우 갈등이 심한 나라와 연합 정부를 잘 구성하는 나라들이 있는 것이다. 민주주의의 선두주자인 미국, 영국, 프랑스에도 문제는 있다. 이들 국가가 새로운 발전단계에 돌입한 것은 확실하지만 사람들 간의 차이가 벌어지고 있고, 사회 계층화 현상이 두드러지고 있다."

●●●●

기본적으로 사회과학자의 꿈은 점쟁이와 같다. 현실을 기술하고 설명하고 더 나아가 미래를 예측하는 것이다. 기술과 설명, 양쪽 다 꽤 설득력 있게 잘한다. 문제는 미래다. "빠르면 10년, 20~30년 내에 소련과 동구권은 붕괴한다"며 동구 공산주의의 소멸을 1976년에 예견한 학자가 있다. 프랑스 파리에 있는 국립인구학연구원INED의 에마뉘엘 토드 연구원이다. 고등학교 재학 시절에는 공산주의청년단의 회원이었고, 소르본대와 파리정치대에서 사학과 정치학을 전공한 후 영국 케임브리지대에서 박사학위를 받은 그는 총 17권의 책을 저술했는데, 우리말로 번역된 저서로는 『유럽의 발견L'invention de l'Europe』, 『제국의 몰락Apres l'empire』이 있다. 『제국의 몰락』에서 그는 미국이 유일 초강대국 지위를 상실해 새로운 다극체제가 도래하며 금융위기가 발생한다고 예측했다. 그는 사회 실상의 미묘한 변화까지 놓치지 않는다. 소련 붕괴를 예측할 수 있었던 것은 1970년에 시작된 소련의 영아사망률 증가 등 몇 개 지수의 흐름을 분석해낸 결과이기도 하다.

역사학자이자 인류학자, 인구학자, 사회학자, 정치학자인 토드에게는 "모든 것을 다 아는 사람"이라는 별명이 붙어 있다. 1995년 7월 16일 영국 《인디펜던트》는 프랑스 지성계에서 그가 차지하는 위상은 바르트Barthes, 사르트르Sartre, 카뮈Camus, 푸코Foucault와 동급이라고 보도했다.

김환영 선진국들의 경제성장이 지지부진하다. 무엇이 문제인가. 무엇을 해야 하나.

에마뉘엘 토드 자유무역이 문제다. 나는 자유무역 자체에 반대하는 것은 아니다. 자유무역이 모든 이에게 이익을 안겨다 주는 시기가 있지만, 지금은 불충분한 수요와 무역 과잉으로 생산성 향상에도 불구하고 노동자들의 임금 인상이 적절히 이뤄지고 있지 못하다. 19세기 자본주의의 모순이 재현되고 있다.
흔히 무역을 더 많이 하면 문제가 해결된다고 보고 세계 각국은 환대서양 무역, 환태평양 무역을 활성화하기 위한 자유무역협정을 체결하고 있지만, 소용없다. 무역을 통제해야 한다. 개별 국가들 차원에서는 해결책이 없다. G8이건 G20이건 선진국들이 머리를 맞대고 합리적인 방안을 모색해 무역을 규제해야 한다.

미국, 건강하지 않지만 스스로 해결 전망

김환영 미국의 쇠퇴에 대해 남들보다 앞선 전망을 내놨는데, 지금 생각은.

에마뉘엘 토드 미국이 권력의 정점이 있었을 때 미국의 쇠퇴에 대한 책을 낸 바 있다. 미국은 지금도 안전하지도 건강하지도 않다. 직면한 문제에서 벗어나지 못했다. 특히 자유무역과 관련된 엄청난 소득 불평등, 불균형이 문제다. 인구의 1퍼센트가 너무 많이 가지고 있다. 하지만 변화에 착수해 해결책을 찾을 것이라고 믿는다. 영국이나 미국 등 앵글로아메리칸 사회와 국가는 변화 능력이 크다는 것을 역사가 말해주고 있다. 그런 낙관적인 전망을 조심스럽게 내놓을 수 있다.

김환영 중국은 미국의 대안이 될 수 있는가.

에마뉘엘 토드 수많은 중국인들이 가난으로부터 벗어나게 된 것은 긍정적으로 평가할 수 있다. 하지만 중국이 경제나 기술, 지정학적인 거인으로 부상할 것이라는 학자들의 의견에 동조하지 않는다. 나를 포함해 대부분의 인구학자들은 중국의 미래에 대해 긍정적이지 않다. 중국은 급격히 노령화되고 있다. 총인구에서 생산연령 인구의 비중이 높은 데서 오는 '인구학적 보너스'가 끝나고 있다. 남녀 성비의 불균형도 문제다. 중국인들은 근대적이라기보다는 매우 전통적인 사람들이다. 중국에서 진정한 테이크오프take off(한 나라의 경제가 전통적 사회에서 벗어나 비약적으로 공업화 사회로 진행되는 단계)는 발생하지 않았다. 특히 한국이나 일본과 비교하면 중국의 테이크오프, 중국경제의 역동성은 피상적superficial이다.

김환영 중국 공산당은 야심적인 발전계획을 추진하고 있다.

에마뉘엘 토드 일본과 한국은 자생적 성장을 했다. 수출이 중요하지만 투자의 원천은 국내다. 양국은 '민족자결national selfdetermination적인 계획'으로 성장했다. 중국의 경우에는 외국의 투자가 성장을 주도했다. 물론 마오이즘으로부터 벗어나려는 자체 노력이나 국민의 낮은 문맹률도 중요했다. 하지만 '세계의 공장workshop of the world'이라는 중국의 발전양상을 결정한 것은 중국 공산당이라기보다는 서구 국가들과 일본, 다국적 기업이었다. 중국의 발전은 독립적이 아니라 종속적이었다.

역사학, 인구학, 사회인류학적 관점에서 전통사회와 현대문화의 상호작용을 따져보면 중국의 또 다른 취약점이 드러난다. 한국이나 일본, 독일, 스웨덴 같은 나라의 전통사회에서는 장자상속권primogeniture이 인정됐다. 그런 사회에서는 형제들 간의 불평등이 용인된다. 이는 사회적 불평등이 발생하면 이를 받아들이고 또 해소할 수 있는 능력이 상대적으로 크다는 것을 의미한다. 중국의 경우는 전혀 다르다. 중국의 전통 가족체제는 지극히 평등주의적이었다. 한 가족 내의 모든 형제가 같다고 보면 모든 인간은 같다고 보게 된다. 중국에서 공산혁명이 발생한 원인도 이 평등주의 전통과 연관이 깊다. 현재 중국의 상황은 한국, 독일, 일본 같은 나라는 겪어보지 못한 엄청난 불평등이 뼛속까지 평등주의적인 정치문화와 결합되고 있는 게 특징이다. 그래서 대규모 불안정성의 가능성이 크다.

김환영 중국과 일본 모두 공세적인 국가가 되고 있는 것 같다.

에마뉘엘 토드 중국 정부는 민족주의로 사회 내부의 갈등을 해소하려고 하고 있다. 매우 위험한 일이다. 중국 사회의 심적 상태는 전형적인 과도기에 발생하는 특성을 띠고 있다.

유럽 역사에서 그러한 과도기는 20세기 초에 있었다. 문자해득률의 증가, 전통 종교에 대한 믿음이 사라진 가운데 젊은 세대는 공허감을 느꼈다. 공백을 메운 것은 민족주의였고 유럽은 전란에 휩싸였다. 점차 유럽은 교육수준이 고도화되는 가운데 신神을 믿지 않는 것에 대해서도 익숙하게 됐다. 유럽은 민족주의 단계도 벗어났다. 탈脫민족주의post-nationalism 시대에도 문제는 있지만, 유럽은 적어도 평화를 달성했다. 일본은 현재의 유럽과 매우 유사하다. 유럽과 마찬가지로 일본도 호전적 민족주의 시대가 있었지만, 오늘의 일본은 진정한 의미에서 민족주의적이라고 보기 힘들다. 유럽과 일본은 비슷한 역사적 경로를 거쳐 탈민족주의 단계에 도달했다.

반면, 중국은 1900년 전후의 유럽과 매우 흡사해 보인다. 문자해득률이 높지만 고등교육의 발전은 아직 초기다. 종교적 신념의 문제와 관련해 말하자면 공산주의는 종교다. 중국인들은 공산주의라는 종교를 상실했다. 20세기 초 유럽과 마찬가지로 중국인들은 심리적인 공백감을 느끼고 있다.

김환영 미국과 중국 양국 간 군사적 충돌의 가능성은.

에마뉘엘 토드 중국의 군사력은 미약하다. 특히 해군력의 경우 항공모함이 1대밖에 없다. 중국이 항공모함을 제대로 운영하는 능력을 얻기까지 몇 년 더 걸릴 것이다. 군사적 충돌이 발생하면 중국은 미국과 일본의 군사력을 상대해야 하는데 양측 간 불균형이 너무 심하다. 중국이 스스로 곤란한 상황에 빠지지는 않을 것이라고 본다.

북한은 아무리 봐도 거대한 미스터리

김환영 북한 문제는 어떻게 보는가.

에마뉘엘 토드 북한은 거대한 미스터리다. 특히 북한 정권의 엄청난 안정성이 그렇다. 전통적인 가족체제와 연관성이 있는 것으로 보인다.

김환영 수십 년, 수백 년이 흐르면 모든 나라는 결국 시장경제의 풍요와 민주주의의 정의 속에 살게 될 것인가. 언젠가는 문명이 단일화될 것인가.

에마뉘엘 토드 기본적으로는 낙관적으로 본다. 세계의 모든 문명들은 이미 공통적인 요소가 있다. 점점 더 많은 사람이 읽고 쓸 수 있다. 출생률도 떨어지고 있다. 아랍 세계도 아프리카도 그런 변화를 겪고 있다.

민주주의와 관계가 깊은 핵가족과 개인주의가 확산되고 있다. 하지만 모든 나라가 똑같이 되지는 않을 것이다. 선진국들 간에도 아직 중대한 차이가 발견된다. 어떤 면에서는 차이가 더 커졌다. 출생률도 선진국마다 차이가 있다. 여성의 지위도 다르다. 고등교육을 받은 여성들이 육아와 일을 병행하는 게 상대적으로 더 쉬운 나라와 그렇지 않은 경우가 있는 것이다.
민주주의의 부상도 불가피하다고 보지만 역시 나라마다 다르다. 좌우 갈등이 심한 나라와 연합 정부를 잘 구성하는 나라들이 있는 것이다. 민주주의의 선두주자인 미국, 영국, 프랑스에도 문제는 있다. 이들 국가가 새로운 발전단계에 돌입한 것은 확실하다. 하지만 겨우 읽고 쓰는 사람들, 평범한 교육을 받은 사람들, 고도의 고등교육을 받은 사람들 간의 차이가 벌어지고 있다. 사회 계층화 현상이 두드러진다. 계층화는 민주주의에 악영향을 미치고 있다. 인류 역사는 계속 전진할 것이다. 그러나 간단한 전망을 하기에는 불투명한 요소가 너무 많다.

김환영 미래를 예측한다는 것은 어떤 것인가.

에마뉘엘 토드 나는 역사학자다. 무슨 일이 벌어지고 있는지 분별있게 보려고 노력한다. 관찰은 내게 전부다. 어쩌면 인구학, 사학의 훈련을 받은 것 때문인지 어떤 이념에는 반대하는 입장이기도 하다. 미래를 예측하려면 우선 지금 벌어지고 있는 일들을 정직하게 살펴봐야 한다.

한국 정치의 미래가 밝은 이유는…

이안 부루마
미국 바드대 석좌교수

> 한국 정치의 미래가 밝은 것은 정당 간에 정권을 주고받고 있기 때문이다. 1970년대에 세계인들은 유교문화까지 거론해 가며 한국에서 민주주의가 달성되려면 수십 년이 더 걸릴 것으로 봤다. 그러나 한국은 민주화됐다. 일본은 정치적으로 틀에 박힌 현상유지를 하고 있다. 진정한 권력 이동이 없는 데다 관료의 힘이 너무 강하다.

●●●●

미국 뉴욕의 바드대 석좌교수인 이안 부루마는 《포린폴리시》가 뽑은 '2008년 세계 100대 지성'이다. 부루마는 《뉴욕타임스》, 《파이낸셜타임스》 등 유력 매체에 광범위한 주제의 칼럼을 기고하고 있다.
네덜란드에서 태어난 그의 전공분야는 동아시아 문화다. 그는 레이덴대에서 중국 문학을, 니혼대에서는 일본 영화를 공부했다. 자신의 저서 『암스테르담 살인사건Murder in Amsterdam』에서 네덜란드 사회에서 관용이 지니는 의미를 따졌다. 모든 갈등은 관용의 부재에서 온다는 생각에 관용의 정의부터 그에게 물었다. 그는 관용을 "법을 어기지 않는 한 사람들이 바라는 대로 말하고 생각하고 행동하도록 허용하는 것"이라고 정의했다.

김환영 관용과 민주주의는 어떤 관계인가.

이안 부루마 관용 없는 민주주의는 없다. 하지만 민주주의 없는 관용은 가능하다.

김환영 관용으로 유명한 나라인 프랑스는 실제로 관용적인가. 이슬람을 믿는 이민자 문제로 관용의 전통이 깨지고 있는 것은 아닌지.

이안 부루마 프랑스는 아직 관용적인 나라다. 다만 국가 이념이 세속주의secularism라는 게 문제를 일으킬 수 있다. 프랑스는 특정 종교의 집단적 권리를 인정하지 않는다. 프랑스의 이슬람 신자들은 집단적 권리를 바란다.

김환영 미국은 어떤가.

이안 부루마 미국에서도 이슬람은 관용의 대상이다. 갈등은 오히려 종교인과 비종교인 사이에 빚어지고 있다. 종교가 더 중요한 역할을 해야 한다고 믿는 그리스도교인들이 이슬람에 대해 같은 종교인으로서 호의적인 측면도 있다.

한·일 연대는 반反중국 성격을 띠어서는 안 돼

김환영 중국의 부상은 미국의 헤게모니를 위협하는가.

이안 부루마 미국 경제체제에 문제가 있는 것은 사실이다. 그러나 중국에는 더 큰 정치적 문제들이 있다. 중국처럼 통제된 체제에서도 인간의 욕심은 갈등을 일으킨다. 미국의 쇠퇴와 중국의 부상이 축구 경기와 같은 제로섬 게임으로 진행되지는 않겠지만 그 과정은 매우 혼란스러울 것이다.

김환영 중국의 부상으로 깨질 동북아의 세력균형을 위해 한국과 일본이 같은 민주국가로서 연대하는 것은 어떤가.

이안 부루마 그런 연대가 필요하다. 아시아를 한 나라가 지배하는 것은 바람직하지 않다. 한국과 일본뿐 아니라 동남아시아나 미국을 끌어들일 수도 있을 것이다. 일본을 묶어두는 효과도 있다. 일본의 우경화를 막는 것이다. 유럽의 통합도 독일 민주주의에 긍정적인 역할을 한다.

김환영 그러한 연대는 중국을 '화나게' 하지 않을까.

이안 부루마 연대의 운용에 따라 달라질 것이다. 반反중국 성격을 띠어서는 안 된다. 중국도 한국과 일본이 같은 민주국가로서 공통의 이익이 있다는 것을 인정해야 한다.

김환영 일본에는 과거 자신이 일으킨 전쟁에 대한 죄의식war guilt이 없다. 한·일 연대를 가로막는 주요 원인 중 하나다. 독일과 다르다. 왜 그런가.

이안 부루마 독일에서는 집권세력 교체가 있었으나 일본의 경우 제국주의 시대의 관료들이 대부분 그 자리를 지켰다. 일본에서 과거사는 아직 해결되지 않은 정치적인 문제다. 죄의식을 지니고 있는 것은 좌파지만 이들은 소수다.

미·일은
'질서 있는 한반도 통일' 원해

김환영 한국과 일본의 정치적 미래는 어떤가.

이안 부루마 한국 정치가 더 건강하다. 한국 정치의 미래가 밝은 것은 정당 간에 정권을 주고받고 있기 때문이다. 1970년대에 세계인들은 유교문화까지 거론해 가며 한국에서 민주주의가 달성되려면 수십 년이 더 걸릴 것으로 봤다. 그러나 한국은 민주화됐다. 일본은 정치적으로 틀에 박힌 현상유지를 하고 있다. 진정한 권력 이동이 없는 데다 관료의 힘이 너무 강하다.

김환영 한반도 통일 전망은 어떻게 보는가.

이안 부루마 통일은 북한 정권의 붕괴로 급격하게 이뤄질 것이다. 통일을 한국이 혼자 감당하지는 못할 것이다. 미·일 ·중의 협력이 필요하다. 한국 내부에선 일본과 미국이 한반도 통일을 바라지 않는다는 시각이 있다. 미국과 일본이 바라는 것은 지역 안정과 안보를 위협하지 않는 '질서 있는' 한반도 통일이다. 통일 자체를 꺼리지 않는다. 현상유지를 바라는 것은 중국이다.

최선의 전략은 미·중 모두의 동맹국이 되는 것

옌쉐퉁
중국 칭화대 국제관계연구원장

> 세계가 미·중 양극체제로 향해 가고 있는 만큼 한국에게 최선의 전략은 중국과 미국 모두의 동맹국이 되는 것이다. 그렇게 되면 양국 모두 한국을 다치게 하지 않을 것이며, 한국이 필요한 양국은 오히려 한국을 가운데 두고 서로 경쟁할 것이다.

멈춰 있는 것을 움직이는 것은 쉽지 않지만, 일단 움직이기 시작하면 다시 멈추게 하기 힘들다. 물리적 법칙인 '관성'을 국제정치에도 적용할 수 있다. 『2023년歷史之慣性』의 저자 옌쉐퉁 중국 칭화대 국제관계연구원장은 중국의 부상을 누구도 막을 수 없으며, 세계는 미국과 중국이라는 두 초강대국의 양극체제bipolar system 출범을 앞두고 있다고 단언한다. 《포린폴리시》가 선정한 2008년 '세계 100대 공공지식인' 옌쉐퉁은 미국 국제정치학의 현실주의 전통에 왕도정치 등 중국 사상을 접목했다. 미국 학계에서 가장 주목받는 중국 학자이기도 하다.

김환영 미·소 양극체제와 비교했을 때, 미·중 양극체제는 좀 더 평화적일까.

옌쉐퉁 그렇다. 최소한 미·소 냉전시대와 마찬가지로 핵무기는 중국과 미국 사이의 전쟁을 막는 역할을 할 것이다. 달라진 것도 있다. 첫째, 세계화가 긍정적으로 작용할 것이다. 세계화는 단순한 경제적 상호의존economic interdependence과는 차원이 다르다. 세계화로 말미암아 중국과 미국은 기술, 교육, 문화 등 분야에서 긴밀한 관계가 됐다. 심지어 군사영역에서도 합동훈련을 하고 있다. 양국 국민 수백만 명이 매년 상대편 국가를 방문하는 시대에 정보기관이 인적 이동을 감시하는 것은 어렵다. 따라서 냉전시대와는 달리 양국이 상대편을 봉쇄하는 전략은 구사하기 힘들다. 둘째, 냉전이 낳은 학습효과도 있다. 양국의 정책 결정자들은 냉전 경험이 아직 생생하다. 역사의 반복을 막아야 한다는 인식을 공유한다.

10년 후 중국의 국력은 미국과 대등…
군사, 문화력은 못 따라가

김환영 앞으로 10년간 한국은 무엇을 해야 하는가.

옌쉐퉁 세계가 미·중 양극체제로 향해 가고 있는 만큼 한국에게 최선의 전략은 중국과 미국 모두의 동맹국이 되는 것이다. 그렇게 되면 양국 모두 한국을 다치게 하지 않을 것이며, 한국이 필요한 양국은 오히려 한국을 가운데 두고 서로 경쟁할 것이다.

김환영 한반도 통일에 중국은 어떤 역할을 할 것인가.

옌쉐퉁 인류 역사를 통틀어 남이 해주는 통일은 없었다. 통일은 자력으로 하는 것이다. 중국만 봐도 대만과 통일할 군사능력이 없다. 10년 내로 중국이 통일될 가능성은 없다. 그런 중국이 남북한 통일을 돕는 것은 불가능하다. 남북한이 통일에 필요한 능력을 갖추면 통일이 될 것이고, 그렇지 않으면 못하는 것이다. 다른 나라의 도움은 기대할 수 없다.

김환영 유럽은 비스마르크Bismarck나 메테르니히Metternich 같은 걸출한 지도자를 배출했다. 유럽연합이 중국, 미국과 더불어 3극체제를 형성할 가능성은 없는가.

옌쉐퉁 유럽연합보다 독일의 리더십에 달린 문제다. 향후 10년간 독일은 더욱 강해질 것이며 영국과 프랑스는 상대적으로 약화될 것이다.

김환영 '아메리카·유럽 합중국United States of America and Europe'을 결성하면 중국의 부상을 막거나 최소한 늦출 수 있지 않나.

옌쉐퉁 유럽은 미국과 연합해 중국을 봉쇄하는 것보다 미국과 중국 사이에서 이득을 취하는 게 더 현실적이다. 앞으로 유럽은 중국과 미국 사이에서 점점 더 중립적이 될 것이다. 중국의 인권문제에 대해서도 유럽은 목소리를 낮출 것이다. 중국과 우호관계를 유지해야 중국의 성장으로부터 얻는 이익도 더 많아질 것이다.

김환영 미·중 양극체제 이후에는 중국을 중심으로 하는 단극체제가 오는가.

옌쉐퉁 그 문제를 예측하는 것은 내 능력 밖이다. 책에서 밝혔듯이 10년을 예측하는 것은 가능하다. 단극체제의 도래는 10년 내에는 불가능하다. 단극체제가 형성된다고 해도 그 중심을 구성하는 것은 중국뿐만 아니라 일본, 한국, 아세안으로 이뤄진 동아시아가 될 것이다. 이 4대 강국은 충분히 유럽을 대체할 수 있다.

김환영 국내적으로 중국의 사회주의는 앞으로 더 강화될 것인가, 약화될 것인가.

옌쉐퉁 너무 정치적인 질문이다. 사회주의를 어떻게 정의하느냐에 따라 대답이 달라질 수 있다. 이 질문에 대답하는 것은 내 능력 밖이다. 전문분야가 국내개혁이 아니라 국제관계이기 때문이다. 하지만 10년 내로 중국 내부에서 양극화나 부패가 줄어들 것이라고 생각한다. 또한 전통적인 도덕관념도 약화될 것이다.

김환영 중국은 서구식 민주주의를 수용할 것인가.

옌쉐퉁 10년 내로는 불가능하다. 정부도 사회도 바라지 않기 때문이다. 서구식 민주주의는 국력 신장에 도움이 되지 않는다는 인식을 하고 있다. 일본, 대만, 한국 사례를 보면, 지속적인 고도의 경제성장을 보장하는 것도 아니다.

김환영 지난 수십 년간 중국은 '위대한great' 지도자들을 배출했다고 볼 수 있는데, 앞으로도 그러할 체제가 갖춰져 있는가.

옌쉐퉁 중국 사람들은 위대한 지도자를 가졌다는 말에 동의하지 않을 것이라고 생각한다. 중국에는 1949년 이래 위대한 지도자가 없었다. 마오쩌둥에서 후진타오胡錦濤까지 국가 지도자들은 많은 실수를 했다. 중국이 성취한 것은 이들 지도자 개인이 아니라 정치적 리더십 전체 덕분에 가능했다고 본다.

한·중 동맹관계의 발전 기대

김환영 한·중 수교 이후, 특히 경제분야에서 협력이 날로 발전하고 있다. 이런 추세가 계속 유지될까.

옌쉐퉁 한·중 관계가 향상될 것이라고 본다. 두 가지 중요한 이유가 있다. 첫째, 일본이 야기하는 충돌 때문이다. 아베 신조安倍晋三 총리는 총리직을 놓는 마지막 단계까지 변하지 않을 것이다. 따라서 중국은 한국과 러시아 같은 동아시아 국가의 도움이 필요하다. 둘째, 한반도 상황을 안정화시키기 위해 중국은 한국과 우호관계가 필요하다. 양국 관계가 올바른 방향으로 가고 있다고 확신한다.

김환영 중국 패권이 미국 패권보다 더 나을 것이라는 전망도 있지만, 중국의 부상에 대해 세계인들이 의구심을 갖는 이유 중 하나가 중국의 티베트 정책이다. 중국의 티베트 정책은 어떻게 될 것인가.

옌쉐퉁 중국의 티베트 정책이라는 관념 자체가 잘못된 것이다. 티베트는 중국의 지방일 뿐이다. 한국 정부에게 독도에 대한 정책을 바꾸라고 한다면 그게 말이 되는 소리인가.

김환영 마지막으로 독자들에게 강조할 말은.

옌쉐퉁 『2023년』에서 나는 중국과 한국이 동맹관계를 발전시켜야 한다고 주장했다. 책이 출간되기 전에는 많은 사람들이 동맹은 불가능하다고 생각했다. 하지만 지금 한국에서도 한·중 동맹 이야기가 나오고 있다. 지금은 중국과 한국 사이에 동맹이 가능한 것인지, 가능하다면 한국이 얻을 이득과 손실이 무엇인지를 진지하게 생각해야 할 때다.

세계 최고의 외교력을 확보해야 한다

폴 케네디
미국 예일대 석좌교수

> 한국이 직면한 도전은 두 가지다. 첫 번째 도전은 북에 있는 '미친 정권'으로, 다른 나라에서는 찾아볼 수 없는, 오직 한국만이 안고 있는 문제다. 두 번째 도전은 4대 강국이 한국을 포위하고 있다는 점이다. 한국이 이룩한 성공은 이 두 가지 측면을 고려할 때 더욱 경이롭다. 한편, 이 두 가지 도전 때문에 한국은 특히 외교를 중시해야 하고, 세계 최고의 외교력을 확보해야 한다. 모든 주변 강국과 대화해야 하며, 한·중 관계도 중요하다는 것을 미국에 설득해야 한다.

●●●●

1983년 대한항공 007편이 뉴욕에서 출발해 서울로 오던 중 소련 상공에서 소련 요격기의 공격을 받고 사할린 섬 인근에서 추락했다. 탑승자 269명 전원이 사망했다. TV 뉴스에 나온 어떤 시민은 이렇게 분노에 찬 다짐을 했다. "대한민국도 빨리 초강대국이 돼 다시는 이런 일이 일어나지 못하게 해야 한다."

강대국을 희구하는 마음은 역사가 길다. 고려 중기의 승려인 묘청妙淸(?~1135)은 서경西京으로 천도하면 주변 36국이 모두 고려의 신하국이 될 것이라고 주장했다.

초강대국 소련은 사라졌고 2009년의 대한민국은 1983년의 대한민국이 아니다. 대한민국의 비상飛上 가능성, 즉 한국의 현재 위상과 미래에 대해 폴 케네디 예일대 석좌교수에게 물었다. 그는 미래의 한국이 미국, 중국, 인도 등으로 구성된 강대국 클럽에 낄 수는 없어도 오늘의 프랑스나 독일처럼 될 수 있다고 답했다. 케네디 교수는 강대국의 흥망이 상대적이라는 점을 강조한다. 예컨대 20세기 초 독일이 영국을 앞섰지만 미국은 독일보다 더 빨리 성장해 독일은 제1, 2차 세계대전에서 승리할 수 없었다.

1945년 영국 북부에 있는 월센드에서 태어난 그는 영국 옥스퍼드대에서 박사학위를 받았으며, 2001년 대영제국 커맨더 훈장을 받았다. 23개 언어로 번역된 케네디 교수의 『강대국의 흥망The rise and fall of the great powers』은 지난 500년 동안 경제와 군사 전략의 상호작용 속에서 강대국들이 부침하는 과정을 분석했다.

김환영 한국은 어떤 나라인가. 앞으로는 어떤 나라가 될 것인가.

폴 케네디 한국은 탁월하게eminently 성공적인 중견국middle-range power이며 앞으로도 경제성장과 발전을 지속해 세계에서 가장 부유한 나라 중 하나가 될 수 있는 능력을 갖춘 나라다. 역사적으로 가장 유사한 사례를 들자면 18세기 네덜란드와 같은 위상을 차지할 수 있다. 지극히 창조적인 기술력을 보유하고 있으며 막강한 무역국가이기 때문이다. 한국과 마찬가지로 18세기 네덜란드도 3대 강대국인 프랑스, 프러시아, 영국에 둘러싸였다. 그러나 한국의 인구 규모와 지정학적인 위치 때문에 미국이나 중국, 인도 등이 포함될 강대국 리스트에 들기는 힘들다.

김환영 통일한국도 강대국은 될 수 없나.

폴 케네디 통일 이후 한국은 북한 지역에 막대한 재원을 투자해야 한다. 독일의 경우 지금도 동부 지역은 한참 뒤져 있다. 한국의 성장은 15~20년간은 지체될 것이다. 최첨단기술에 투자해야 할 재원을 북한지역의 산업 인프라와 의료체제를 구축하는데 사용해야 하기 때문이다. 북한 지역을 일정 수준으로 끌어올린 다음에도 미국, 중국, 인도와 경쟁하기는 힘들다.

김환영 한국은 남북통일의 시너지 효과를 기대하고 있다. 역사 속에서 참조할 만한 사례는.

폴 케네디 스코틀랜드와 영국의 통합은 성공적이었다. 영국과 스코틀랜드 사이의 인구비도 남북한과 비슷했다. 시너지 효과는 특히 영국에 유리했다. 스코틀랜드는 대영제국에 병력의 반을 제공했다. 스코틀랜드는 조선과 광업, 철도 등의 분야에서 산업혁명이 가장 빨리 일어난 지역이기도 했다. 그래서 양측 모두 부자가 됐다. 남북한의 경우와 다른 점은 경제발전단계상의 차이가 크지 않았다는 점이다. 이탈리아 통일의 경우에서도 북부지역의 일인당 소득은 남쪽의 3~5배였다. 이탈리아의 경우도 통일비용이 막대했고 오늘날에도 남북 간 격차가 심하다. 한국에서 통일의 효과가 영국형이 될지 독일이나 이탈리아형이 될지 알 수 없다. 스페인이나 베트남의 통일 사례도 흥미롭게 분석할 만한 사례다.

김환영 한국의 지도자들이나 국민은 한국이 18세기 네덜란드보다는 지금의 프랑스, 독일, 영국처럼 되기를 바랄지도 모른다.

폴 케네디 오늘의 프랑스처럼 되기 위해서는 몇 가지 긍정적인 지표들과 상당한 장애물이 있다. 우선 긍정적인 측면을 보자면 한국경제 규모는 약 20년 후 프랑스를 앞설 것이다. 한국인의 일인당 소득도 프랑스보다 훨씬 높을 것이다. 모든 예측에서 그렇게 나타난다.

김환영 프랑스인도 이 사실을 알고 있나.

폴 케네디 그렇지 않다고 본다. 프랑스인들은 독일이나 미국 등의 향방에 관심이 많으며 세계화에 대응하는 데 몰두하고 있기 때문이다. 동쪽으로는 시야를 돌리지 않는다.

김환영 장애물은 무엇인가.

폴 케네디 언어 문제와 제도적인 문제가 있다. 많은 사람이 프랑스어를 공부하며 프랑스어를 공용어로 하는 나라도 많다. 프랑스어는 유럽연합과 유엔의 공용어이기도 하다. 프랑스의 문화적 영향력도 광범위하다. 게다가 프랑스의 영향력은 제도적으로 뿌리내리고 있다. 예컨대 프랑스는 유럽연합을 좌지우지할 수는 없지만 자국에 불리한 것을 막을 수는 있다. 유럽연합이라는 거대한 국제 행위자가 프랑스에 유리한 방향으로 움직이는 데 영향력을 발휘할 수 있다. 프랑스는 유엔안보리에서도 거부권을 행사한다. 프랑스는 상대적으로 쇠퇴하고 있지만 자신의 기술력이나 인구 규모보다 더 큰 힘을 아직도 발휘하고 있다. 영국도 15개 정도의 중견국 중 하나에 불과하지만 영향력은 크다. 영어, 전통, 유엔안보리 상임이사국 지위, 영·미 관계의 특수성 덕분이다.
프랑스나 영국처럼 국력 수준을 능가하는 영향력을 행사하는 나라뿐만 아니라 한국처럼 그 이하로 행사하는 나라도 있다. 한국이 자신이 누릴 만한 위상과 영향력을 행사하기 위해서는 오랜 시간이 필요하다. 국제체제는 유럽 국가들이 수백 년을 들여 수립한 체제이기 때문이다.

한국도 세계 전략, 즉 대전략이 필요하다

김환영 한국과 같은 중견국도 세계 전략, 대전략grand strategy이 필요한가.

폴 케네디 대전략을 구사하는 데는 행위자의 크기보다는 도전의 성격과 수준이 중요하다. 여러 분야에서 세계 차원의 다층적인 도전에 직면해 있다면 대전략이 필요하다. 국가뿐만 아니라 현대 같은 국제적인 회사도 대전략이 필요하다. 세계 속 여러 시장에서 활동하기 때문이다. 예일대에서 대전략을 가르칠 때 분석을 위해 사용하는 사례는 로마제국과 대영제국이다. 로마제국에는 25개의 이웃 나라가 있었다. 대영제국도 인도, 캐나다, 남아프리카 등을 방어해야 했다.
한국도 대전략이 필요하다. 전술이나 전략 차원만으로는 부족하다. 적어도 '소규모 대전략mini-grand strategy'이 필요하다. 한국은 다측면적인 지정학적 도전에 직면해 있기 때문이다. 대전략의 구사는 군사적인 차원에서만 이뤄지는 것은 아니다. 한국이 홍보를 위해 해외에 문화원을 증설한다는 기사를 읽었다. 한국문화원을 해외에 설치할 때에도 대전략적인 고려가 필요할 것이다.

김환영 북한은 어떻게 될 것인가.

폴 케네디 누구도 북한이 어떻게 될지 자신 있게 예측할 수 없다. 수십 년간 북한을 주시하고 조언을 주려고 시도해온 중국도 지금 북한 상황에 대해 어리둥절하고 있다. 몇 가지 시나리오를 설계하는 것은 가능하다. 시리아의 경우에서처럼 2세대 지도부는 보다 온건하고 국제경험도 많을 수 있다. 과거로부터도 보다 자유로울 가능성이 있다.

김환영 중국은 민주화 없이 초강대국이 될 수 있나.

폴 케네디 『강대국의 흥망』에서 17~18세기 영국이 이룩한 부상을 다루면서 민주주의를 주요 변수로 거론하지 않았다. 민주주의보다는 정치적인 안정이 더 중요하다. 영국이 명실상부한 민주국가가 된 것은 1928년이다. 미국도 여성과 흑인에게 참정권을 부여하는 데는 시간이 필요했다. 영·미식 민주주의가 중국에 도입되면 지역갈등 등 불안정을 초래할 가능성이 있다.
애덤 스미스Adam Smith는 『국부론An Inquiry into the Nature and Causes of the Wealth of Nations』에서 부를 창출하기 위해 세 가지만 있으면 된다고 했다. 훌륭한 거버넌스governance, 전쟁의 부재, 예측 가능한 세금 부과였다. 민주주의는 포함되지 않았다. 전쟁의 부재와 관련해 미국은 예외다. 미국은 제2차 세계대전을 거치며 대공황에서 벗어나며 강대국 위치를 확립했다. 미국의 사례는 애덤 스미스를 놀라게 했을 것이다.

김환영 한국에서 중도주의적 노선이 성공할 가능성은 어떤가.

폴 케네디 성공 확률이 보통 더 낮다. 그리고 몇 가지 전제조건을 만족시켜야 한다. 중도 노선이 성공하려면 지극히 탄탄한 민주주의적 기반이 필요하다. 좌파 혹은 우파 권위주의로 회귀할 가능성이 없어야 한다. 높은 생활수준과 훌륭한 사회적 네트워크가 필요하다. 분배 문제를 두고 근본적인 분쟁은 없어야 한다. 영국의 경우 노동당과 보수당의 차이는 사실 별로 크지 않다. 극우와 극좌 정당으로 구성된 정치체제에서는 중도 노선이 성공할 수 없다. 무료 교육 제공, 부자들에게 부과할 세율, 산업에 대한 보조금 지급 등의 사안에 대해 정당 간에 약간의 노선 차이만 있어야 중도 노선이 성공할 수 있다. 원래 차이가 별로 없기 때문에 당내 강경파들을 설득할 수 있는 것이다. 또한 좌파, 우파 정당 사이를 왔다갔다 하며 투표하는 무당파 유권자층이 두터워야 한다.

억지로 다른 나라와 비교할 필요 없다

김환영 한국민과 한국 정부에 권하고 싶은 것이 있다면….

폴 케네디 한국이 직면한 도전은 두 가지다. 첫 번째 도전은 북에 있는 '미친 정권crazy regime'이다. 다른 나라에서는 찾아볼 수 없는, 오직 한국만이 안고 있는 문제다. 두 번째 도전은 4대 강국이 중견국인 한국을 포위하고 있다는 점이다.

한국이 이룩한 성공은 이 두 가지 측면을 고려할 때 더욱 경이롭다. 한국 국민은 그래서 자부심을 가져야 된다. 한편, 이 두 가지 도전 때문에 한국은 특히 외교를 중시해야 한다. 한국은 세계 최고의 외교력을 확보해야 한다. 모든 주변 강국과 대화해야 한다. 한·중 관계도 중요하다는 것을 미국에 설득해야 한다. 한국의 의회정치는 형편없는지lousy 모르지만 경제나 외교는 인상적이다. 한국은 강점과 약점을 포함해 여러 가지 특성이 혼합적으로 나타나는 나라다. 그렇기 때문에 세계의 지정학적 공간에서 부상하려는 한국은 스스로를 다른 나라들과 비교하지 않는 게 좋을 수도 있다. 도움이 되지 않을 수도 있기 때문이다. 한국은 너무나도 독특한 나라다. 억지로 다른 나라와 비교할 필요는 없다.

Chapter 3

석학들, 대한민국의 미래를 말하다

미래를 이해하는 사람들이 미래를 차지한다 **_비벡 와드와**

잘못했다고 고백해야 앞으로 전진할 수 있다 **_필립 짐바르도**

4차 산업혁명이 약속하는 '기하급수적인 성장'이란 없다 **_로버트 고든**

AI의 시대, 우리의 마음을 잊어버리면 안 돼 **_유발 하라리**

AI가 '스킬의 가치' 바꿔… 10년마다 직업 바꾸는 시대 왔다 **_제리 카플란**

지구의 미래 위해 우주개발은 피할 수 없는 길 **_해리슨 슈미트**

불평등은 사회를 분열시키고 공동체 속 삶을 약화시킨다 **_리처드 윌킨슨**

슬로라이프! 보다 풍성한 우리의 삶을 위해 **_쓰지 신이치**

미래는 동쪽에… 서구·이슬람 갈등에 엮이지 말라 **_타리크 라마단**

세계화에 조응하는 '세계질서 2.0'이 필요하다 **_리처드 하스**

세계가 어느 방향으로 가건 한국에는 문제 없을 것 **_토머스 프리드먼**

미래를 이해하는 사람들이 미래를 차지한다

비벡 와드와
미래학자, 미국 듀크대 창업·연구상용화센터 연구 디렉터

“AI 시대를 맞아 한국 정부는 근본적으로 다른 새로운 사고가 필요하다. 간섭하지 않고 규제를 철폐하며 한걸음 뒤로 물러서는 게 중요하다. 정부가 해야 할 일은 그저 창업을 장려하는 것이다. 창업에 필요한 네트워크, 기본 훈련, 씨앗자금 조달 등을 돕고, 창업가들이 배를 곯는 일은 막아야 한다. 그렇게 할 수 있다면 한국은 미래를 주도할 것이다. 그렇게 할 수 없다면 가난했던 그 시절로 원위치하게 될 수도 있다.”

●●●●

미래를 좌우할 첨단기술은 숨 가쁘게 발전한다. 현장에서 미래를 만들고 있는 엔지니어나 CEO도 뭐가 어떻게 돌아가는지 전체상을 파악하기 힘들다. 그래서 구루guru가 필요하다. 일반 대중뿐만 아니라 CEO, 전문가들에게 기술의 오늘과 미래를 종합적으로 정리해주는 저자와 강연자가 필요한 것이다. 《포린폴리시》가 2012년 '100대 글로벌 사상가'로 선정한 비벡 와드와가 그런 역할을 하고 있다.

와드와는 듀크대 창업·연구상용화센터 연구 디렉터, 싱귤래리티대 교수, 스탠퍼드대 기업지배구조센터 펠로, 카네기멜론대 공과대 펠로다. 또 《워싱턴포스트》, 《포브스Forbes》 같은 매체에 칼럼을 기고한다. 그의 여러 저서 중에서 『무인자동차 안의 운전자Driver in the Driverless Car』가 주목할 만하다.

김환영 기술 낙관론과 비관론 중 어느 쪽인가.

비벡 와드와 두 개의 미래가 가능하다. TV 시리즈 〈스타트렉〉과 조응하는 미래에서는 인류가 우주를 탐험하고 지혜와 지식을 추구하며 스스로를 향상시킬 것이다. 인류는 바라는 것을 모두 갖게 될 것이다. 영화 〈매드맥스〉 식의 어두운 미래도 가능하다. 세계 곳곳에 '매드맥스'의 징후가 보인다. 도널드 트럼프Donald Trump는 어두운 징후다. 그는 사람들의 증오심을 부추겨 대통령에 당선됐다. 북한에는 김정은이 있다. 나는 낙관적이다. 쉽지는 않지만 우리가 위기를 극복하고 살아남을 것이라고 생각한다.

AI의 능력은 아직 제한적임에도 불구하고 AI를 과대평가한다

김환영 알파고와의 바둑 대국이 한국에서 개최됐기 때문에 한국만큼 인공지능AI 충격을 받은 나라도 없다.

비벡 와드와 오늘날 AI의 능력은 매우 제한적이다. 초기 단계에 불과한데도 사람들이 AI를 과대평가한다. 특히 한국과 일본이 그렇다. 5년 후 AI는 훨씬 똑똑하게 될 것이다. 10년 후에는 지금보다 1,000배 더 똑똑해질 것이다. 15년 후 AI가 사람보다 더 똑똑하게 되면 사람들은 AI의 통제를 걱정하기 시작할 것이다.

김환영 일본과 유럽연합의 AI 개발은 어떻게 되고 있나.

비벡 와드와 여러 면에서 일본은 뒤처져 있다. 일본 CEO들을 만나 이야기해보면 그들은 옳은 말을 하지만 AI나 4차 산업혁명을 이해하지 못하고 있다. 일본 산업이 더 후퇴할 수 있다고 경고해도 그들은 별 문제 없을 것이라고 낙관한다. 오히려 1980

년대의 일본이 AI를 제대로 이해했다. 오늘의 일본은 AI를 활용하지 않는다. 한국도 같은 문제를 안고 있다. 유럽연합 또한 뒤처져 있다. 유럽은 너무 잘산다. 미래에 대한 두려움이나 간절함이 없다. 관료 조직도 너무 크다.

김환영 중국의 AI는 어떤가.

비벡 와드와 중국에는 명암이 있다. 바이두Baidu와 알리바바Alibaba가 세계를 이끌고 있다. 하지만 중국에는 큰 문제가 있다. 중국 경제의 약 3분의 1은 제조업이다. 5년 내로 제조업의 대대적인 재편성이 시작된다. 5~10년 내로 중국의 제조업은 어쩌면 현재의 3분의 1로 축소될 것이다. 로봇과 AI 덕분에 미국이나 유럽 회사들이 더 이상 중국에서 생산할 필요가 없게 된다. 나는 중국의 행태가 지금의 북한처럼 되지 않을까 우려한다. 경제가 망가지면 다른 나라 탓을 하기 시작하는 게 국가다. 거품이 꺼지고 제조업이 붕괴하기 시작하면 중국은 우선 일본을 적으로 삼을 것이다. 그 다음에는 한국과 같은 다른 나라들과 갈등하게 될 것이다.

김환영 여러 첨단기술 분야 중에서 AI가 주도 부문leading sector인가.

비벡 와드와 아니다. AI는 전기와 같다. AI가 주도 부문이라고 하는 것은 전기가 주도 부문이라고 하는 것과 마찬가지다. AI는 로봇, 드론, 유전자 편집gene editing, 센서, 네트워크, 의학, 나노기술, 가상현실, 3D 프린팅 등 기하급수적으로 발전하고 있는 10여 개 기술 중 하나일 뿐이다. CEO들은 모든 기술 분야를 이해해야 한다. 융합convergence 때문이다. 융합으로 기술이 합쳐지면 산업 전체가 재편성된다.

김환영 전반적으로 미국이 훨씬 앞서 나가는 가운데 다른 나라가 추격하고 있다고 보면 되나.

비벡 와드와 아니다. 미국이 멀리 앞서고 있다고 볼 수 없다. 기술의 진보는 미국이 아니라 글로벌 차원에서 파악해야 한다. AI 분야와 유전자 편집에서는 중국과 미국이 호각지세互角之勢다. 로봇 분야에서는 일본과 미국이 대접전 중이다. 한국은 전자 분야와 많은 핵심기술 분야에서 심지어는 미국보다 우위를 확보하고 있다. 삼성의 기술은 애플Apple의 기술보다 낫다.

기업가정신 결핍, 성공한 대기업 많지만 차세대 기업 보이지 않아

김환영 한국의 문제점은 무엇인가.

비벡 와드와 한국에는 큰 성공을 거둔 대기업들이 있다. 하지만 내 눈에는 차세대 기업이 보이지 않는다. 왜일까. 한국이 '지나친' 성공을 거두었기 때문이다. 2세, 3세 경영인들은 아버지와 어머니, 할아버지와 할머니 세대보다 덜 야심적이다. 그들은 풍요롭다. 내 말이 맞나? 한국의 또 다른 문제는 지나치게 공학 교육을 중시한다는 점이다. 애플 창시자 스티브 잡스Steve Jobs는 오늘의 애플을 만든 음악과 예술의 중요성을 강조했다. 오늘날 기술이 발전하려면 음악가와 예술가가 과학자, 공학자와 협업해야 한다. 하지만 한국은 과학이나 공학에 집착한다. 균형이 잡히지 않았다.

김환영 한국 회사들은 AI 인력을 확보하는 데 어려움을 겪고 있다. 채용 전쟁이 벌어지고 있는 것인가.

비벡 와드와 그 문제는 해결하는 게 어렵지 않다. AI 분야에서 일하는 데 필요한 것을 배우려면 6개월이면 충분하다. 공대를 나오지 않아도 된다. 한국은 잘못 이해하고 있다. 공학 학사나 석사가 필요한 게 아니다. 실리콘밸리에서 구글Google, 페이스북Facebook, 애플 같은 회사들은 심지어는 대학 졸업장이 없는 사람도 채용한다. 대학 졸업장이 없어도 연봉을 많이 주는 일자리를 얻을 수 있다. 이들 회사들이 찾는 것은 핵심 재능core talent이다. 이러한 상황을 한국의 리더들이 배워야 한다고 생각한다. 그들은 모두 과거에 사로잡혀 있다. 필요한 것은 학사, 석사 학위가 아니라 창의력이다. 창의력을 기준으로 생각하면 인력난이란 있을 수 없다.

실패는 나쁜 것도 수치스러운 것도 아니라는 것 설파해야

김환영 한국 정부는 과거에 새로운 산업 분야를 일으켜 세우는 '신통력'을 발휘했다. 지금은 무엇을 어떻게 해야 하는지 모르는 것은 아닌지 우려된다. AI 시대에 필요한 인프라를 한국 정부가 구축할 필요는 없는가.

비벡 와드와 한국의 인프라는 이미 놀랍다. 한국 정부는 근본적으로 다른 새로운 사고가 필요하다. 정부가 간섭하지 않고 규제를 철폐하며 한걸음 뒤로 물러서는 게 중요하다. 한국 정부가 해야 할 일은 그저 창업을 장려하는 것이다. 정부는 창업에 필요한 네트워크, 기본 훈련, 씨앗자금 조달seed financing을 도울 수 있다. 창업가들이 배를 곯는 일은 막아야 한다. 사무실 공간, 책상, 커피, 인터넷 접속을 무료 혹은 저렴한 가격으로 제공해야 한다. 국가의 산업정책으로 산업을 키우던 시대와 달리 어마어마한 돈이 필요한 것도 아니다. 정부의 2018년 목표는 예컨대 2,000개의 스타트업 창업이 돼야 한다. 그중 성공하는 스타트업은 200~300개, 나머지는 실패할 것이다. 하지만 괜찮다.

창업한 사람들은 계속 배우고 성장할 것이다.

대통령이 직접 나서서 전국을 다니며 실패가 결코 나쁜 것도 수치스러운 것도 아니라는 것을 국민에게 주지시켜야 한다. 기술 중심 회사가 성공하려면 서너 번 실패해야 한다. 회사가 문을 닫는 것은 정상적이라고 대통령이 국민에게 계속 반복해서 말해야 한다.

정부는 또한 창업가들이 서로 소통할 수 있는 네트워크를 구축해야 한다. 전 세계에 경험 많은 한국 기업인들이 흩어져 있다. 그들과 스타트업을 연결해야 한다. 스타트업에서 제품이 나오면 정부가 사줘야 한다. 어느 나라나 정부의 물품 조달은 지극히 관료주의적이다. 미국에서도 스타트업이 정부에 제품을 파는 게 힘들다. 정부 사람들이나 정치인들은 산업파크나 과학파크의 오프닝 행사 때 리본 커팅하고 신문이나 방송에 나오는 것을 좋아한다. 관료와 정치인들이 할 일은 리본 커팅이 아니라 사무실 공간과 사무 집기를 제공하는 것이다. 그런 식으로 5년이 지나면 모든 게 바뀔 것이다. 한국은 거대한 혁신경제를 자랑하게 될 것이다. 한국은 자원은 없지만 사람들이 뛰어나다. 문제는 그들을 교육시켜 창의적인 사람들로 만들 수 있느냐 없느냐다. 그렇게 할 수 있다면 미래를 주도할 것이다. 그렇게 할 수 없다면 가난했던 그 시절로 원위치하게 될 수도 있다.

김환영 한국은 이른바 '명문대' 출신도 인문학 전공자들은 취업이 힘들다.

비벡 와드와 실리콘밸리에서는 인문학 전공자들이 취업하는 게 힘들지 않다. 그들은 크고 작은 모든 테크놀로지 회사에 취업해 엔지니어들과 함께 일한다. 톱 대학 출신이건 아니건 창의적인 사람은 쉽게 일자리를 얻을 수 있다. 아까 말한 2,000개의 스타트업들은 적어도 한두 명의 인문학 전공자들을 채용해야 한다. 위대한 제품이 나오기 위해서는 그들이 엔지니어들과 협업하는 게 필요하다. 인문학 전공자들을 뽑지 않는 것은 실수다.
예일이냐 하버드냐는 중요하지 않다. 예일도 최악의 졸업생을 배출한다. 명문대, 비명문대를 따지지 않고 살펴보면, 어느 대학이나 상위 10~20%는 혁신을 이룰 수 있는 창의적인 인재다. 중요한 것은 출신 대학이 아니라 창의성이다. 명문대는 나름 선발 기준이 있고 그 기준이 너무 높기 때문에 기준을 만족시키지 못하면 최고의 인재도 명문대에 입학할 수 없다. 세계 어느 곳이건 평범한 대학들이 탁월한 사람을 배출한다. 명문대, 비명문대를 따지는 사고는 잘못됐다. 예일, 하버드, 한국의 SKY(서울대, 고려대, 연세대)는 잊어라. 최고의 인재 선발 기준은 출신 대학이 아니라 창의성이다.

김환영 인도 사람들이 미국에서 두각을 나타내는 비결은 무엇인가.

비벡 와드와 거의 모든 미국의 기술 회사에서 인도계가 임원급 자리를 차지하고 있다. 인도에 가보면 인도인들은 법을 지키지 않는다. 정부를 존경하지 않는다. 부패했기 때문이다. 창의성은 권위를 무시하는 것과 연관성이 있다.

김환영 독자들에게 마지막으로 강조할 게 있다면.

비벡 와드와 놀라운 미래가 우리를 기다리고 있다. 미래를 배워야 한다. 그리고 미래를 향해 마음을 열어야 한다. 미래를 이해하는 사람들이 미래를 차지할 것이다.

잘못했다고 고백해야 앞으로 전진할 수 있다

필립 짐바르도
미국 스탠퍼드대 명예교수

“세계인들이 보기에 ‘일본군 위안부’ 문제의 잘잘못은 너무나 분명하다. 일본 정부는 일본군의 성적 쾌락을 위해 한국 여성을 노예로 만들었다. 수십 년 전 일이다. 지금 세대는 전시 가혹행위에 대해 사과하고 보상하는 한편, 미래를 향해 앞으로 나아가야 한다.”

“죄는 미워하되 사람은 미워하지 말라”는 말이 있다. 하지만 ‘묻지마’ 살인, 성범죄, 정치권의 검은돈 거래, ‘남의 땅을 자기 땅이라고 우기는’ 국수주의는 공분을 일으킨다. ‘상황주의자situationist’라 불리는 심리학자들은 그럼에도 불구하고 ‘죄만 미워해야 할 근거’를 제시한다. 그들은 악행이나 범죄의 원인을 개인이 아니라 개인이 처한 상황, 환경, 사회 체제에서 찾는다.

스탠퍼드대 심리학과의 필립 짐바르도 명예교수는 대표적인 상황주의 사회심리학자다. 그는 1971년 ‘스탠퍼드 감옥 실험SPE, Stanford Prison Experiment’을 통해 누구든 상황에 따라 ‘악마’가 될 수 있다는 것을 입증했다. 익명성, 집단압력, 무료함으로 구성된 감옥 상황이 문제였다. SPE에 대해 상술한 짐바르도 교수의 『루시퍼 이펙트Lucifer effect』를 바탕으로 〈엑스페리먼트The Experiment〉라는 영화도 나왔다. 짐바르도 교수에 따르면 ‘루시퍼효과’의 반대는 ‘영웅효과’다. 상황에 따라 인간은 천사도 되고 영웅도 되는 것이다.

그는 ‘심리학계의 폴 새뮤얼슨’이다. 수줍음, 설득, 최면, 시간 등 20개 토픽에 대해 논문 400여 편, 단행본 50여 권을 집필했다. 2002년 미국심리학회APA 회장을 지냈으며, APA로부터 ‘평생업적상’을 받기도 했다. 심리학이 세상을 어떻게 바꿀 수 있으며 심리학자는 세계 현안을 어떻게 보는지 궁금증을 풀기 위해 짐바르도 교수를 인터뷰했다.

김환영 좋은 사회, 좋은 나라의 조건은.

필립 짐바르도 학교, 회사, 국가를 포함해 모든 체제system는 ‘정직성의 문화culture of integrity'를 확립하는 게 가장 중요하다. '부패 문화', '공범 문화'에서는 사람들이 나쁜 짓으로 돈을 벌고 악을 보고도 모른 체 한다. '정직성의 문화'는 지도자들에게 최대한의 투명성을 요구한다. 지도자들은 잘못을 폭로하는 '고발자 whistleblower'에게 벌이 아니라 상을 내려야 한다. 고발자는 언론 매체에 앞서 우두머리에게 잘못을 알리는 게 우선이다. 세계 모든 나라의 적은 고발자가 아니라 부패다. 부패에서 냉소주의가 싹튼다. 성공하려면 '무엇을 할 줄 아느냐'가 아니라 '힘 있는 누구를 얼마나 아느냐'가 중요해진다. 국가에 불신이 만연했을 때 국민을 효과적으로 다스릴 수 있는 정부는 없다.

세계 모든 나라의 적은 고발자가 아니라 부패다

김환영 부패가 전 세계의 '공공의 적'인 것으로 볼 때 사람이란 존재는 선보다 악에 더 가깝다고 할 수 있나.

필립 짐바르도 복합적이고 역동적인 인간의 뇌는 우리가 상상할 수 있는 모든 잠재력을 제공한다. 사람은 선과 악의 가능성, 악당이 되거나 영웅이 될 수 있는 가능성을 함께 지니고 태어난다. 가능성을 구체화하는 것은 사회와 교육이다. 모든 나라에서 대부분의 사람들은 대부분의 순간에 선량하다. 나쁜 사람도 영웅도 상대적으로 소수다. 문제는 나쁜 사람들은 '전문적인' 악인이라는 점이다. 그들은 조직과 돈으로 일반 대중, 특히 젊은이들을 유혹한다. 반면 영웅들은 조직도 없고 자원도 없다. 그래서 나는 '영웅적 상상력 프로젝트Heroic Imagination Project'라는 비영리 단체를 결성했다. '악행 전문가'들의 수법에 맞설 수 있는 심리전술을 가르친다. 우리는 특히 젊은이들, 중·고교와 대학교 학생들, 회사원들이 영웅이 될 수 있도록 훈련한다. 이 운동이 국제화돼 한국에도 진출할 수 있기를 희망한다.

김환영 어떤 사람이 영웅인가.

필립 짐바르도 누구나 영웅이 될 수 있다. 대부분 영웅들은 평범한 사람들이다. 그들의 영웅적 행동이 비범하고 특출한 것이다. 영웅이 된다는 것은 유명인이 된다는 게 아니다. 영웅은 다른 사람들을 돕고 도덕적인 목적과 원칙을 수호하기 위해 위험이나 대가를 무릅쓰고 자신을 희생한다. 회사의 문제점을 거론해 해고되거나 승진에서 누락될 수도 있다. 영웅 프로젝트는 잠재적 영웅들이 지닌 개인적 '측은지심compassion'을 '시민적 행동civic action'으로 전환한다. 내 연구를 포함해 학계의 연구 성과가 담긴 프로젝트다. 단순한 의견만이 아니다. 과학적으로 악에 대항하고 영웅이 되는 법을 가르친다. 우리의 훈련과정을 통해 젊은이들이 변화의 주역이 되어 그들의 가정과 공동체, 회사, 궁극적으로는 국가의 삶을 향상시킨다.

직장 내 왕따로 이윤의 10% 줄어

김환영 미국은 '불링bullying(약자 괴롭히기)' 문제를 어떻게 다루고 있는가.

필립 짐바르도 오바마 대통령은 불링이 '국가적 문제'라고 선포했다. 학교와 인터넷에서 괴롭힘을 당한 학생들의 자살에 정부가 나선 배경이다. 불링의 원인, 결과, 예방 연구를 위한 연구비도 넉넉하게 지원된다. 일터에서 벌어지는 불링 때문에 적어도 이윤의 10%가 줄어드는 것으로 밝혀졌다. 피해자들의 생산성 저하, 병가, 이직 때문이다. 불링은 피해자들이 장기간 심리적으로 고통받는 것도 문제지만 방관자들을 양산한다는 문제가 있다. 불링을 목격하고도 못 본 척한 학생, 직장인들은 평생 수치심에 시달리게 된다. 불링은 세 가지 차원에서 작동한다. 체제적, 상황적, 성향적 차원이다.

김환영 최근 심리학의 추세는?

필립 짐바르도 문화심리학을 주목하고 있다. 나도 수줍음에 대한 문화심리학적 연구를 한 적이 있다. 미국에선 아시아계 미국인 학생들과 아시아 학생들의 수줍음 정도가 제일 높다. 유대계 학생들이 가장 낮다. 학부모, 교사, 학생들을 인터뷰한 결과

적어도 중국과 일본에서 수줍음이 겸손함, 신중함, 어른에 대한 공경을 의미한다는 것을 발견했다. 중국과 일본에서는 실패에 대한 '처벌'이 수줍음을 낳는다.
중국과 일본 학생들이 뭔가를 시도하다 실패하면 그들 탓이다. 그들이 성공하면 교사, 학부모 등 다른 사람들이 공을 인정받는다. 이스라엘에서는 반대다. 학생이 실패하면 그 학생이 아니라 교사, 학부모 등 다른 사람들이 잘못한 것으로 본다. 학생이 성공하면 그 학생이 잘한 것이라고 인정된다. 전 세계 유대인 학생들은 항상 위험이 따르는 일을 감행할 준비가 돼 있다. 그들은 앞장서도 손해 볼 게 없다. 이처럼 문화적 관습에 따라 수줍은 사람들이 받는 처우가 다르다.

김환영 국수주의가 사라지지 않고 국가 간 갈등을 촉발하는 이유는 무엇인가.

필립 짐바르도 영토분쟁의 원인은 개인적 악이 아니라 체제적 악이다. 체제적 악에 빠지면 도덕적인 실패를 인정할 능력, 용서를 구할 능력을 상실한다. 우리는 잘못했다고 고백해야 앞으로 전진할 수 있다. 세계인들이 보기에 '일본군 위안부' 문제의 잘잘못은 너무나 분명하다. 일본 정부는 일본군의 성적 쾌락을 위해 한국 여성을 노예로 만들었다. 수십 년 전 일이다. 지금 세대는 전시 가혹행위에 대해 사과하고 보상하는 한편, 미래를 향해 앞으로 나아가야 한다.

4차 산업혁명이 약속하는 '기하급수적인 성장'이란 없다

로버트 고든
미국 노스웨스턴대 석좌교수

"미국의 고성장기는 1920~1970년, 한국의 고성장기는 이보다 좀 늦은 1960~2010년이었다. 한·미 양국 모두 50여 년간 매우 빨리 성장했다. 그 다음에는 성장속도가 둔화됐으며, 나는 그 원인이 유사하다고 생각한다. 황금기와는 달리 성장이 항구적으로 둔화될 것이라는 점을 양국 모두 받아들여야 할 때다."

●●●●

로버트 고든 노스웨스턴대 석좌교수는 4차 산업혁명을 부인하는 『미국의 성장은 끝났는가The Rise and Fall of American Growth』로 화제의 인물이 됐다. 《블룸버그Bloomberg》는 2016년 9월 그를 '세계에서 가장 영향력 있는 인물 50명' 중 36위로 선정했다. 고든 교수는 재닛 옐런Janet Yellen 연방준비제도Fed 의장이 가장 많이 인용하는 학자 중 한 명이다. 그는 나쁜 소식과 좋은 소식을 전했다. 나쁜 소식은 4차 혁명이 약속하는 '기하급수적인 성장exponential growth'은 없다는 것이고, 좋은 소식은 한국처럼 일단 산업화된 나라들이 다시 가난해지지는 않을 거라는 예측이다. 그는 한국과 미국이 앞으로 '안정적인 저성장'을 유지할 것이라고 내다봤다.

김환영 4차 산업혁명을 부인하는 『미국의 성장은 끝났는가』는 한국 독자들에게 어떤 의미인가.

로버트 고든 이 책이 한국에 주는 교훈은 다음과 같다고 생각한다. 미국의 고성장기는 1920~1970년, 한국의 고성장기는 이보다 좀 늦은 1960~2010년이었다. 한·미 양국 모두 50여 년간 매우 빨리 성장했다. 그 다음에는 성장속도가 둔화됐으며, 나는 그 원인이 유사하다고 생각한다. 황금기와는 달리 성장이 항구적으로 둔화될 것이라는 점을 양국 모두 받아들여야 할 때다.

4차 산업혁명은
3차 산업혁명의 연속에 불과할 뿐

김환영 4차 산업혁명에 대해 회의적인 이유는.

로버트 고든 낙관론자들은 우리가 모든 것을 바꿔 놓을 4차 산업혁명 시대로 접어들고 있다고 생각한다. 나는 로봇이나 인공지능의 점증하는 역할과 잠재력에 대한 그들의 생각을 진심으로 존중한다. 하지만 변화는 매우 느리게 일어나고 있다. 이미 오래전부터 지속돼 온 생산성 성장의 이행移行 과정을 뛰어넘는 새로운 추세도 없다. 소위 4차 산업혁명은 3차 산업혁명의 연속에 불과하다. 4차 산업혁명의 양대 요소로 지목되는 것은 로봇과 인공지능이다. 산업 로봇은 1961년에 등장했다. AI도 오래전에 자리 잡았다. 우리는 컴퓨터로 호텔 방을 예약한다. 컴퓨터가 인간 여행사 직원을 대체한 것은 10~20년 전이다. 우리가 이미 경험한 것이 계속되고 있을 뿐 4차 산업혁명이라는 이름에 걸맞은 변화는 없다.

김환영 언젠가는 4차 산업혁명이, 예컨대 100년 후 혹은 200년 후에 도래하지 않을까.

로버트 고든 나는 20년 이상은 절대 예측하지 않는다.

김환영 로봇과 AI 때문에 우리가 마이너스 경제성장을 겪게 될 가능성은 없는가.

로버트 고든 3차 산업혁명에서 핵심적인 10년이었던 1990년대와 달리 느린 성장이 지속될 것이라고 생각한다. 각종 비즈니스 업무, 카탈로그, 여론조사, 투표 등 종이로 하던 것들이 1990년대 들어 디지털로 대체됐다.

김환영 일종의 '국내총생산GDP 체감의 법칙' 같은 게 있는 것은 아닌가.

로버트 고든 그런 법칙이 있다고는 생각하지 않는다. 하지만 나는 혁신적 발명이 많아질수록 새로운 혁신 요소를 발견하는 게 어렵다고 생각한다. 10개의 발명이 있을 때 1개의 발명을 더하면 10퍼센트 성장이지만, 혁신적 발명이 100개가 있을 때에는 새로운 발명 1개는 1퍼센트 성장만 가능하게 한다.

한국의 인구성장 둔화와 고령화 문제는 미국보다 더 심각

김환영 한국이 최소한 지금의 성장을 유지하는 데 필요한 것은.

로버트 고든 한국의 경제성장을 둔화시키는 요소로는 느려진 생산성 증가 말고도 인구성장 둔화와 고령화 문제가 있다. 이는 미국보다도 더 심각하다. 또한 한국의 대학 졸업 인구는 이례적으로 많다. 대졸자들에게 어울리는 일자리가 충분히 있을지 의문이다. 하지만 미국에만 있고 한국에는 없는 문제도 있다. 예컨대 미국의 빈곤층 문제, 낮은 수준의 초·중등 교육, 비효과적인 의료보험체제, 비정상적으로 높은 교도소 수형자 인구는 한국에는 없는 문제다.

김환영 국내에서는 어떤 사람들이 갑자기 부자가 되거나 가난하게 되는 경우가 있다. 어떤 나라가 갑자기 부자 나라나 가난한 나라가 되는 경우가 앞으로 있을까.

로버트 고든 국가들은 갑자기 가난한 나라, 또는 부유한 나라가 되지 않는다. 한 가지 예외는 1930년대의 대공황이다. 그때 많은 사람들이 갑자기 가난하게 됐다. 가능성이 낮은 대공황 같은 일이 벌어지지 않는 한 급격한 변화는 일어나지 않을 것이라고 예상한다.

김환영 일단 산업화된 나라들은 예외적 경우를 제외하고는 다시 가난하게 되는 일이 없을까.

로버트 고든 그렇다. 일단 발전한 다음에는 다시 가난하게 되지 않는다. 부자 나라가 되는 과정에서 확보한 것들은 사라지지 않는다. 나는 미래에 성장이 둔화되지만, 성장이 보다 안정적일 것이며 급격한 경기변동의 수도 줄어들 것이라고 예상한다.

김환영 보수의 아이콘 프리드리히 하이에크Friedrich Hayek(1899~1992)는 국가의 중앙집권적 계획에 반대했다. 정책결정자들에게 필요한 정보가 없기 때문에 계획은 비효율을 낳고 심지어는 독재를 낳기 때문이다. AI와 빅데이터 시대에 사람들에 대한 모든 정보를 국가가 확보하게 되면 효율적인 계획이 가능하게 되지 않을까.

로버트 고든 아니다. 정부가 가격을 결정하는 계획경제는 가격체제에서 나오는 시그널signal을 오독한다. 나는 AI가 발전한다고 해서 국가가 경제를 운영하는 능력이 갑자기 출중해질 거라고 생각하지 않는다.

AI의 시대,
우리의 마음을 잊어버리면 안 돼

유발 하라리
이스라엘 히브리대 교수

“우리는 스스로에 대해 모르고 있는 아주 중요한 것들이 많다. 특히 우리의 마음에 대해서다. 그럼에도 우리는 우리의 몸과 뇌를 과학기술의 힘을 빌려 업그레이드하려고 한다. 그러나 그 과정에서 중요한 것은 우리의 마음을 잊어버리면 안 된다는 점이다.”

유발 하라리 이스라엘 히브리대 교수는 30여 개 언어로 출간된 베스트셀러 『사피엔스Sapiens』의 저자다. 2002년 옥스퍼드대에서 중세 전쟁사 연구로 박사학위를 받았다. 현재는 역사학과 생물학의 관계, 인간과 동물의 근본적인 차이, 역사와 정의, 역사의 방향, 행복 등의 문제를 거시적 관점에서 연구하고 있다.
'인문학' 하면 주로 문학이나 사학, 철학을 떠올리지만 이 못지않게 신학, 종교학, 신화학도 중요하다. 『사피엔스』를 이해하기 위해서는 『창세기』에 대한 이해가 필요하다고 한다. 크리스천들은 교회나 성당에서 '예수의 몸과 피'를 먹는다. 예수가 곧 '생명나무'다. 하지만 이제 인간은 종교가 아니라 과학기술을 통해 영생을 추구한다.

김환영 인공지능 시대의 개막은 '생명이란 무엇인가'를 묻게 한다.

유발 하라리 생명에 대한 여러 정의가 있다. 지각력이나 의식, 마음을 생명의 정의에 포함시켜야 할지 여부를 두고 여러 의견이 있다. 생명을 정의할 때 의식을 포함시켜야 할지 말지는 '큰 질문big question'이다. 인류는 매우 똑똑하고 불멸인 AI를 만들고 있지만, AI는 감정이 없고 느끼지도 못하고 바라는 것도 없다. 그런 의미에서 아직 AI는 살아있는 생명은 아니다. 하지만 의식이 없는 식물이나 미생물도 생명체다. 생명은 결국 의미론적

semantic인 문제인데 과학자들은 의견일치를 보지 못하고 있다.

김환영 인간의 지능을 능가하는 인공수퍼지능ASI, Artificial Superintelligence이 가능한가.

유발 하라리 가능하다. 20~30년 내의 가까운 미래에는 아니더라도 100~200년 내에는 ASI가 가능하다.

김환영 ASI는 인간과 같은 의식까지 갖게 될 것인가. ASI이지만 의식은 없는 경우도 가능한가.

유발 하라리 현재로서는 전혀 알 수 없다.

김환영 인간은 어쩌면 지식이나 영생보다 권력을 더 좋아한다. ASI도 권력을 좋아할 것인가.

유발 하라리 좋아한다는 것은 감정과 의식의 문제다. ASI가 권력을 좋아하려면 감정과 의식이 있어야 한다. 엄청난 권력자이지만 권력을 사랑하지 않는 경우가 사람에겐 있다. 인간은 의식이 전혀 없는 ASI를 만들 수 있다. 하지만 그러한 ASI도 인간보다 더 막강한 권력을 갖게 될 것이다.

김환영 신神의 속성은 전지전능全知全能이다. ASI는 신의 '기능적

등가물functional equivalent'이 될 것인가.

유발 하라리 어떤 면에서는 ASI가 우리가 아는 신을 능가할 것이다. 지금까지 신들의 속성은 상대적으로 제한된 인간의 상상력을 반영했다. ASI는 사람이 상상할 수 없는 능력을 갖게 될 것이다. 그런 의미에서 ASI는 여러 신화에 등장하는 전통적인 신들보다 오히려 더 막강할 것이다.

생존과 영생은 같은 것

김환영 호모 사피엔스(생각하는 사람)는 여러 가지를 생각한다. 추억을 반추하고 목표에 대해 생각하고 질문을 한다. 앞으로 인간은 목표와 질문 중에 무엇을 생각해야 하는가.

유발 하라리 목표와 질문은 함께 같이 가는 것이다. 우리가 진정한 목표를 찾아내기 위해서는 근본적인 질문을 해야 한다. 목표는 홀연히 나타나지 않는다. 또 우리의 질문은 우리의 목표에 달렸다. 목표가 돈이냐 행복이냐에 따라 우리는 전혀 다른 질문을 하게 된다. 질문과 목표는 밀접한 상호의존 관계다.

김환영 인류가 앞으로 추구해야 할 목표는 생존survival인가, 영생

immortality인가. 영생을 위해 AI를 비롯한 첨단과학기술을 개발하다 보면 인류의 생존이 위협받게 되는 패러독스가 있다.

유발 하라리 그렇다. 영생은 어쩌면 '계속 생존하는 것'이다. 그런 의미에서 생존과 영생은 같은 것이다. 영생을 위해 노화, 질병, 죽음을 극복하려면, AI를 비롯한 기술을 발전시켜야 하는데 AI는 인간을 대체하고 인간을 아무런 쓸모없는 존재로 전락시킬 수 있다.

김환영 영생과 생존이라는 목표 중 딱 한 가지를 선택해야 한다면.

유발 하라리 우선순위는 우리 자신의 진실을 아는 것이라고 생각한다. 목표를 설정할 때 인간은 개인이나 공동체 차원에서 좀 성급하다. 우리가 진짜 바라는 것을 알기 전에 목표를 추구하면 가다가 길을 잃는다. 시간과 노력의 낭비를 피하려면 '진짜 우리는 누구인가', '우리는 왜 이 목표를 선택했는가'를 단 1분이라도 멈추고 생각해야 한다. 그래야 잘못된 목표를 추구한 데서 오는 불필요한 골칫거리를 피할 수 있다.

김환영 어떤 질문을 해야 하는가.

유발 하라리 현재로선 가장 중요한 질문은 '마음이란 무엇인가',

'의식이란 무엇인가'다. 우리는 몸과 뇌에 대해서는 점점 더 많은 이해를 하고 있다. 마음을 이해하려면 아주 아주 멀었다. 마음은 뇌나 몸보다 더 중요하다. 뇌가 곧 마음이라고 생각하는 것은 잘못이다. 인간의 마음을 이해하지 못하면 마음이 있는 AI를 만들 수 없다.

김환영 뇌와 마음은 본질적으로 같은 게 아닐까.

유발 하라리 아니다. 다르다. 서로 밀접하지만 근본적으로 다르다. 뇌는 마음을 만들거나 마음에 영향을 준다. 어떻게 그게 가능한지 우리는 모른다. 뇌만 알면 충분하다는 생각은 잘못됐다. 뇌는 물질에 불과하다. 뇌에서 벌어지는 생화학적 과정을 이해한다고 해서 사랑이나 분노 같은 주관적인 인간 감정을 이해할 수 있는 것은 아니다.

김환영 인간은 자신의 이미지에 따라 AI를 만들고 있는가.

유발 하라리 처음에는 그렇다. 하지만 우리의 설계와 상상력을 넘어 AI가 스스로를 발전시키고 자신이 바라는 자신의 모습을 만들 때가 언젠가는 올 것이다.

김환영 '인지, 농업, 과학 혁명은 사기다'라고 한 적이 있다. 앞으로 다가올 '제2차 과학 혁명'도 사기로 판명날까.

유발 하라리 그럴 가능성이 있다. 과거 혁명은 우리에게 더 큰 권력을 부여했지만, 더 행복하게 만들지는 않았다. 인간은 권력 획득을 아주 잘하지만, 권력을 행복으로 바꾸는 일은 잘 못한다. 왜 그럴까. 행복은 객관적인 조건이 아니라 우리의 기대에 달렸기 때문이다. 상황이 바뀌면 기대도 바뀐다. 상황이 아무리 좋아져도 우리는 계속 불만이다. 우리는 그 어떤 쾌락에도 만족하지 못한다. 우리는 더한 쾌락을 갈망할 것이다. 우리가 무엇을 성취하건, 우리의 성취는 더 큰 갈망을 낳을 뿐이다. AI 시대 또한 이러한 메커니즘을 바꾸지 못할 것이다.

김환영 앞으로 다가올 변화에도 불구하고 종교와 돈은 생존할 것인가.

유발 하라리 아마도 그렇다. 어떤 형태이건 종교나 돈 없이 기능할 수 있었던 복잡한 사회는 없었다. 하지만 미래의 종교와 통화체제는 지금 우리가 친숙한 것과 매우 다를 것이다. 쭉 그래 왔다. 종교와 돈은 수천 년 동안 새로운 환경과 기술에 적응하며 계속 변화를 거듭했다. 수천 년 동안 돈을 금과 은으로 만들었지만 오늘날 돈의 90%는 '전자 데이터'다. 그리스도교나 이슬람 같은 전통 종교는 오늘날 천 년 전과 완전히 다르다. 바뀌지 않는 영원한 모습의 종교는 없다. 종교적인 관점에서 오늘날 가장 흥미로운 곳은 중동이 아니라 실리콘밸리다.

실리콘밸리,
비인간 문명의 중심 될 수 있어

김환영 왜 실리콘밸리인가.

유발 하라리 실리콘밸리는 아마도 문명 혁명의 중심이 될 것이다. 어쩌면 최초의 비인간non-human 문명의 중심이 될지도 모른다. 하지만 엄청난 혁명의 가능성을 극소수 엘리트가 지휘한다는 것은 문제다. 그들은 대다수 사람의 이익과 희망을 대표하지 않으며, 기술에 대해서는 많이 알지만 정치, 역사, 철학, 예술에 대해선 훨씬 덜 알기 때문이다. 물론 그들을 비난할 수는 없다. 그들은 그들이 해야 할 일을 하고 있다. 기술 그 자체는 우리에게 아무런 지침을 내리지 않는다. 한국과 북한 사회의 기저에는 같은 기술이 있다. 미래에도 같은 기술로 우리는 아주 다른 사회를 건설할 것이다. 우리는 현명한 선택을 해야 한다.

김환영 '자본주의는 종교다'라고 했다. 과학도 종교인가.

유발 하라리 과학은 종교가 아니지만, 종교의 기초를 제공할 수 있다.

김환영 종교란 무엇인가.

유발 하라리 종교는 신을 믿는 게 아니다. 모든 종교의 기능은 같다. '초인간적'인 법에 기초한 인간의 규범과 가치의 체계를 정당화해 국가나 기업 같은 제도에 안정성을 부여하는 것이다. 종교 없이 사회적인 질서를 유지하는 것은 불가능하다.

김환영 마지막으로 독자들에게 강조할 게 있다면.

유발 하라리 우리 자신에 대해 우리가 모르는 아주 중요한 것들이 많다. 특히 우리의 마음에 대해서다. 그럼에도 우리는 우리의 몸과 뇌를 과학기술의 힘을 빌려 업그레이드하려고 한다. 그 과정에서 우리가 우리의 마음을 잊어버리면 안 된다.

AI가 '스킬의 가치' 바꿔…
10년마다 직업 바꾸는 시대 왔다

제리 카플란
미국 스탠퍼드대 법정보학센터 펠로, 미래학자

> 한국은 이대로 가면 인구 수가 줄기 시작한다. AI의 일자리 없애기가 가속화되면 오히려 인구 감소가 '축복'일 가능성도 있다. 한국의 경우 AI 같은 신기술이 본격화되는 시기와 인구감소 시기가 정확하게 맞아 떨어질 것이다. 한국 사람들은 AI 같은 기술 덕분에 더욱 풍요롭고 자유롭게 살게 될 것이다.

●●●●

제리 카플란은 펜컴퓨팅과 태블릿 분야의 선구자다. 실리콘밸리에서 네 개의 스타트업을 공동 창업해 두 곳을 매각했다. 그가 구상한 특허기술을 이베이eBay가 구매했다. 스탠퍼드대 법정보학센터 펠로인 그는 컴퓨터공학과에서 인공지능의 역사와 철학을 가르치고 있다. 『스타트업 Startup』은 《비즈니스위크Business Week》 선정 올해의 10대 도서로 선정됐다. 《뉴욕타임스》, 《월스트리트저널》, 《포브스》, 《비즈니스위크》 등 매체 기사에 자주 등장하는 취재원이다. 시카고대에서 1972년 역사학, 과학철학을, 펜실베이니아대에서 컴퓨터, 정보공학을 각각 공부했다. 인공지능 시대, 발등에 떨어진 불은 일자리다. 제리 카플란에게 노동의 미래에 대해 물었다. 공학자이자 미래학자인 그는 AI 시대의 심장부인 실리콘밸리에서 연쇄창업가serial entrepreneur로 활동했으며, 최근에는 노동문제와 직결된 『인간은 필요 없다Humans Need Not Apply』의 한글판이 출간됐다.

김환영 『인간은 필요 없다』의 집필 동기는.

제리 카플란 AI 담론의 방향을 바꾸기 위해서였다. 인간과 경쟁하거나 인간을 능가하는 로봇에 대한 논의는 잘못됐다고 생각한다. 자동화가 고용, 부富, 불평등 같은 당면한 사회적 문제에 미치는 부정적인 영향에 집중하자는 것이다.

AI는 노동의 성격을 바꾸고 새로운 일자리를 만들 것

김환영 AI가 노동시장에 미치는 영향은.

제리 카플란 노동시장의 변화를 가속화시킬 것이다. 하지만 (일부 주장과 달리) 일자리 자체가 모두 사라지는 것은 아니다. 바뀌는 것은 노동의 성격이다. 왜냐하면 AI는 오래전 시작된 자동화 과정의 연장선상에 있기 때문이다. 모든 자동화에는 노동의 성격을 바꾸는 효과가 있다. AI는 일부 일자리를 없애지만 새로운 일자리도 만든다. 문제는 새로운 일자리가 생기는 데 시간이 걸린다는 점이다.

김환영 가장 취약한 일자리는.

제리 카플란 어떤 작업의 성공 여부를 판단할 구체적이며 객관적인 척도가 있으며, 그 작업을 달성하기 위해 필요한 도구와 기법을 체계화codification할 수 있는 일자리들이 가장 취약하다. 정신노동이건 육체노동이건 똑같다. 미국에서는 300만 명에 달하는 운전기사들이 가장 큰 위협을 받고 있다. 20~30년 내로 차량 운전이 자동화될 것이기 때문이다.

김환영 정부는 무엇을 해야 하는가.

제리 카플란 정부가 할 일은 두 가지다. 첫째, 학교에서 가르치는 스킬skill이 미래에도 경제적인 가치가 있게끔 교육과정을 개선해야 한다. 둘째, 노동시장에 이미 나온 사람들의 재교육에 필요한 재원을 확보해야 한다. 10~15년마다 직업을 바꾸는 게 정상적인 시대가 이미 시작됐다.

김환영 미국에선 정치가 AI 시대에 잘 대비하고 있나.

제리 카플란 미국은 지금 힘 있는 자와 가진 자에 대한 혁명기를 거치고 있다. 트럼프와 샌더스 현상은 '계급반란class revolt'의 징후다. 다행히 '폭력혁명'이 아니라 '정치혁명'이다. 폭력으로 흐르지 않게 방지하는 정치적인 도구가 있기 때문이다.

김환영 한국 정치인들은 일자리를 약속한다. 그러나 쉽지 않다.

제리 카플란 사실 일자리 제공은 정치인들이 해야 할 일이 아니다. 그들이 할 일은 일자리가 창출될 수 있는 경제적인 여건을 만드는 것이다. 그런 여건을 만든다면 장기적으로 수많은 일자리가 생겨나겠지만, 향후 20~50년 동안은 상당한 사회적 혼란이 예상된다.

AI의 일자리 없애기가 가속화되면 인구 감소가 축복일 수도…

김환영 AI가 야기할 사회혼란을 피하려면 AI에 대한 장벽을 쌓는 게 차라리 낫지 않을까.

제리 카플란 사실 어느 나라든 스스로 원한다면 AI에 대해 보호주의적인 입장을 취할 수 있다. 새로운 기술로부터 스스로 배제되는 것이다. 그러나 그런 나라는 가난하게 될 것이다. 세계의 나머지, 즉 새로운 기술을 개방적으로 수용하는 한국 같은 나라는 점점 더 부자 나라가 될 것이며 국민도 평균적으로는 더 잘살게 될 것이다.

김환영 한국은 이대로 가면 인구 수가 줄기 시작한다. AI의 일자리 없애기가 가속화되면 오히려 인구 감소가 '축복'일 가능성도 있는가.

제리 카플란 전적으로 그렇다. 한국의 경우 AI 같은 신기술이 본격화되는 시기와 인구감소 시기가 정확하게 맞아 떨어질 것이다. 한국 사람들은 AI 같은 기술 덕분에 더욱 풍요롭고 자유롭게 살게 될 것이다.

김환영 예컨대 50년 후 100년 후에는 로봇 성직자가 등장할 것인가.

제리 카플란 그렇지 않을 것이라고 생각한다. 기계는 사람이 아니다. 종교 리더십 같은 많은 분야는 '인간이라는 것은 무엇을 의미하는가'라는 질문에 대한 핵심적인 답변과 직결되기 때문이다. '우주에서 내 위치는 어디에 있는가'를 묻는 경외심을 지닌 게 인간이다. 로봇을 사람과 같은 모습으로 만들 수 있을 것이다. 사람인 척 행동하게 만들 수도 있을 것이다. 하지만 로봇과 의미 있는 감정적인 관계를 맺을 수는 없다.

김환영 AI 시대의 승자와 패자는 누가 될 것인가.

제리 카플란 단기적으로는 불행히도 로봇과 AI 시스템을 만들고 소유하는 사람들이 가장 많은 이득을 가져갈 것이다. 그래서 부자는 더 부자가 될 것이다. 수많은 규제와 정책이 부자에게 유리하다. 보다 포용적인inclusive 사회를 만들어 부가 사회에 보다 넓게 분배될 수 있게 만들어야 한다.

지구의 미래 위해
우주개발은 피할 수 없는 길

해리슨 슈미트
미국 위스콘신대(매디슨) 겸임교수, 마지막 문워커

한국이 과학·기술 분야에서 수십 년간 이룩한 성과로 판단하건대 만약 한국이 마음만 먹는다면 한국은 우주산업 분야에서 중견 국가가 될 수 있을 것이다.

●●●●
'문워커moonwalker'는 달에 착륙해 걸어 다닌 우주인을 지칭하는 말이다. 1972년 12월 이후로 달에 가 본 사람은 없다. 차기 초강대국 자리를 노리는 중국과 인도가 자국민 문워커 탄생을 꿈꾸고 있다. 미국도 달을 넘어 화성으로 가는 프로젝트를 진행하고 있다. 우주 강국에 도전하는 대한민국이 우주 개발의 중요 요소인 문워커에 관심을 가져야 하는 이유다.
12명의 문워커 중 마지막으로 달에 도착한 우주인은 해리슨 슈미트다. 하버드대 지질학 박사 출신인 슈미트는 문워커 중에서 유일한 과학자 출신이다. 슈미트는 1972년 12월 아폴로 17호를 타고 달에 다녀온 뒤 1977년부터 6년간 미국 상원의원을 지내기도 했다. 그는 인터뷰에서 "달은 매우 편안했다. 마치 장대한 산속의 계곡에 있는 거대한 트램펄린 위에 있는 것 같았다"고 말했다.

김환영 20세기 미국과 소련 간 우주개발 경쟁에 이어 이제는 미국과 중국, 인도 사이에 새로운 경쟁이 벌어지고 있다는 견해가 있다.

해리슨 슈미트 미국이 의식하건 의식하지 못하건 새로운 경쟁이 벌어지고 있다는 것은 사실이다. 주요 경쟁상대는 야심적인 중국이다. 미·중 경쟁이 활성화되면 전 세계 우주산업이 영향을 받을 것이다. 미국은 한국, 대만, 일본을 포함한 국제 파트너들과 우주산업에서 협력하려는 경향이 있다. 중국은 독자적으로 움직인다.

김환영 우주 경쟁이 격화되면 미국 내 여론은 우주 개발의 필요성에 대해 호의적이 될 것인가.

해리슨 슈미트 여론의 향방은 알 수 없다. 중요한 것은 미국 행정부가 우주 개발의 전략적 측면이 중요하다는 것을 이해하는 것이다. 자유롭고 민주적인 국가들이 우주 개발에서 활발하고 주도적인 역할을 해야 한다는 것이다. 우주 개발 주도권 확보에 민주주의의 미래가 달려 있다.

김환영 우주 개발에서 전략적 고려가 산업적 고려보다 중요한가.

해리슨 슈미트 우주 개발에서 고려해야 할 요소의 목록은 길다. 전략적 고려가 꼭대기를 차지한다. 그래서 미국은 다시 달로 가야 하며 화성으로 가야 한다. 한편 달에는 지구에서 삶의 질을 높일 수 있는 잠재력이 있는 에너지 자원이 있다. 경제성이 확인된 헬륨3Helium-3이다.

김환영 한국은 우주산업 분야에서 중견 국가middle power가 될 수 있을까.

해리슨 슈미트 한국이 과학·기술 분야에서 수십 년간 이룩한 성과로 판단하건대 만약 한국이 마음만 먹는다면 그렇게 될 수 있다.

김환영 달에 착륙한 우주인 중에서 유일한 과학자로 아는데 앞으로 보다 많은 과학자들이 우주인이 될 필요가 있는가.

해리슨 슈미트 이미 많은 과학자들이 우주 셔틀 프로젝트에서 우주인으로 참가했다. 특히 지질학자들이 달과 화성 탐험에서 핵심적인 역할을 할 것이다.

김환영 인류가 화성으로 가려면 어떤 단계를 거쳐야 하는가.

해리슨 슈미트 우선 달에 가서 우주에서 작업한다는 게 어떤 것인지에 대한 지식을 습득해야 한다. 달에서 화성으로 갈 우주선에 필요한 원료를 조달할 수도 있을 것이다. 운영상의 실험도 필요하다. 특히 화성에서는 지구와 교신할 수 없기에 독자적으로 기지를 운영하는 방법을 찾아야 한다.

김환영 우주 개발보다는 빈곤퇴치나 기후변화 대처에 투자해야 한다는 의견도 있는데….

해리슨 슈미트 기후변화에 대해서는 우리가 할 수 있는 일이 없다고 생각한다. 빈곤퇴치를 위해서라도 달에 가야 한다. 빈곤퇴치에는 에너지 공급이 필요한데 달에는 에너지 자원이 있다. 우주 개발은 지구의 모든 다른 문제들과 연결돼 있어 피할 수 없다. 인류에게는 탐험을 희구하는 유전자가 있다고 생각한다. 또한 우주 개발을 한다고 해서 다른 문제를 다루지 못하게 되는 것은 아니지 않은가.

김환영 달 착륙 경험이 신념체계에 영향을 줬는가.

해리슨 슈미트 인류에 대한 내 관점, 인류가 무엇을 할 수 있는지에 대해선 영향이 있었지만 내 신념체계는 영향을 받지 않았다. 다른 우주인의 신념체계도 영향을 받지 않았을 것이라고 생각한다.

김환영 우주인이 되려는 한국의 학생들은 어떤 준비가 필요한가.

해리슨 슈미트 최대한 폭넓은 교육을 받아야 한다. 수학이 특히 중요하다.

불평등은 사회를 분열시키고 공동체 속 삶을 약화시킨다

리처드 윌킨슨
영국 노팅엄대 명예교수

“부자 나라에서는 일인당 소득과 행복, 기대수명, 각종 웰빙의 지표 사이에 별 관계가 없다. 이제 가장 중요한 것은 사회 환경, 사람과 사람 사이의 관계다. 바로 그렇기 때문에 평등이 중요하다. 불평등은 사회를 분열시키고 공동체 속 삶을 약화시키기 때문이다.”

●●●●

'민주화democratization'는 독재·권위주의에서 민주주의로 이행하는 과정이다. 서구 정치학자들은 1980년대 이후 민주화 이론을 개발해왔다. 또한 서구 학계는 '경제민주주의economic democracy'에 대해서도 다양한 논의를 해왔다. 하지만 '경제민주화economic democratization'라는 용어가 학계를 넘어 국가적·사회적 담론이 된 곳은 한국이다. 그런 의미에서 한국은 경제민주화 이론 개발의 선봉에 서 있다.

경제민주주의와 성장의 관계에 대한 보다 입체적인 조명을 위해 리처드 윌킨슨 명예교수를 인터뷰했다. 윌킨슨 교수에 따르면 경제민주주의의 핵심인 소득 평등은 성장을 저해하는 게 아니라 오히려 성장의 필수 전제조건이다. 사회통합을 저해하는 소득 불평등 문제를 해결하지 않고서는 장기적 경제성장이 불가능하기 때문이다. 그는 세계 최고 부국富國 23개국과 미국 50개 주 데이터를 분석한 『평등이 답이다The Spirit Level』에서 소득이 보다 평등하게 배분되는 사회가 경제성장이 빠르고 폭력, 약물 남용, 비만, 청소년 출산 등 사회병리 현상의 비율이 낮으며 평등은 저소득층 뿐만 아니라 고소득층에도 유리하다고 주장했다. 그는 모든 문제의 주범이 사실은 불평등의 심화라고 지목한다. 불평등 문제 해소는 만병통치약이라는 말이다. 그의 주장은 전 영국 총리 데이비드 캐머런David Cameron과 전 노동당 당수 에드 밀리밴드Ed Miliband가 인용할 정도로 영국에서 큰 화제가 됐다.

개발독재 시기에 우리의 사고를 알게 모르게 지배한 것은 '경제발전을 이뤄야 민주주의도 할 수 있다'는 스탠퍼드대 시모어 마틴 립셋Seymour Martin Lipset(1922~2006) 교수의 간단하고도 힘 있는 주장이었다. 우리나라는 어느 정도 경제발전과 민주주의를 달성했다. '성장하고 싶다면 소득 불평등 문제부터 해결하라'는 윌킨슨 교수의 테제these는 앞으로 우리에게 어떤 의미일까.

김환영 세계 많은 나라가 겪고 있는 불평등을 해소하기 위해서는 어떤 실천이 필요한가.

리처드 윌킨슨 정부는 재분배redistribution 정책을 펼 수 있지만 두 가지 어려움이 있다. 대부분의 나라에서 세금을 올리는 것은 인기가 없다. 세금제도의 개편에 성공해도 정권이 바뀌면 쉽게 원상 복귀된다. 그래서 회사의 이사회에 직원 대표를 포함시키고 보다 민주적으로 회사가 발전하는 것을 지원하는 게 중요하다고 생각한다. 직원이 이사회에 참여하는 회사는 소득 차이가 덜하다.

김환영 회사가 아니라 사회 차원에서는 어떻게 해야 하나.

리처드 윌킨슨 직원 대표를 이사회에 보내는 것을 의무적으로 만드는 법제화를 시도할 수 있다. 유럽연합 회원국 중 반 정도는 이를 법제화했다. 이와 관련해 독일은 입법수준이 매우 높다. 입법수준이 낮은 영국의 경우 소득격차와 불평등의 정도가 훨씬 크다. 부유한 개인과 회사는 세금을 덜 내는 방법을 모색하는 경향이 있는데 이를 막으려면 대중의 압력이 필요하다.

김환영 유럽과 미국에서 불평등이 심화된 원인은.

리처드 윌킨슨 1990년대와 2000년대 초반에 회사 내의 소득차이가 급속도로 벌어졌다. 1970년대 말, 1980년대 초 미국 350대 기업의 최고경영자들의 소득은 생산직 근로자의 30~40배였다. 21세기 초에는 200~300배, 심지어 400배가 됐다. 많은 나라에서 소득격차가 확대된 주요 원인이다. 최상위 소득자에 대한 민주주의적 견제가 결여됐던 것이다. 제도적인 장치가 필요하다. 이는 모든 종류의 경제민주주의를 일터로 확장하는 것을 의미한다.

김환영 불평등에도 불구하고 경제성장은 지속되고 있고 평균수명도 늘어나고 있다.

리처드 윌킨슨 많은 나라에서 기대수명이 10년마다 2~3년씩 늘어나고 있다. 하지만 이런 건강 개선이 왜 일어나는지는 아무도 모른다. 역학과 공중보건 분야의 최대 미스터리다. 진료가 질병에 미치는 영향만으로는 설명할 수 없는 뭔가가 있다. 약간의 불평등은 기대수명 증가를 둔화시킬 뿐이지 수명이 짧아지게 하지는 않는다. 공산주의 붕괴 후 러시아나 대부분 동부유럽 국가의 경우처럼 엄청난 소득 불평등이 발생하는 경우에만 기대수명 증가세가 감소세로 역전된다.

복지와 평등의 관계

김환영 복지와 평등의 관계에 대해 복지가 평등에는 좋지만 성장에는 나쁘다는 의견이 있다. 성장이 안 되면 모든 사람의 처지가 나빠지기 때문에 복지정책은 신중해야 한다는 주장이다.

리처드 윌킨슨 평등과 성장의 관계에 대한 상당수 실증적 연구에 따르면, 보다 평등한 게 성장에도 좋다. 왜냐면 평등은 사회적 응집성社會的 凝集性, social cohesion을 향상시켜 경제학자들이 중시하는 회사들의 거래비용去來費用, transaction cost이 줄기 때문이다. 또한 사회가 평등할수록 '공공정신public spirit'이 살아 있다. 공공정신이 살아 있으면 사람들은 보다 기꺼이 다른 사람들을 돕는다. 공공선公共善, common good을 추구하는 것이다.

세계은행이 1993년에 발간한 연구보고서 「동아시아 기적The East Asian Miracle」이 기술하고 있듯이 한국, 대만, 홍콩, 필리핀 등은 1960~1980년 사이에 보다 평등한 나라가 됐다. 공산주의라는 외부 위협이 있었기 때문에 정부들은 국민의 지지를 얻기 위한 정책을 폈다. 한국은 북한의 위협에 직면했고 대만과 홍콩은 중국이라는 근심거리가 있었다. 필리핀의 경우는 게릴라 세력을 의식했다. 세계은행의 분석에 따르면 국민의 지지를 얻기 위해 이들 국가는 소득격차를 감소시켰고 이는 성장에 긍정적으로 작용했다. 동반성장shared growth 정책으로 성장의 혜택은 보다 고르게 공유됐다. 세계은행 보고서 이후에도 많은 연구가 성장에 긍정적이라는 결론을 내렸다.

김환영 불평등이 경쟁력이나 동기부여에 긍정적으로 작용하는 측면도 있지 않은가.

리처드 윌킨슨 불평등이 창의성이나 창조성, 혁신의 추진력으로 작용한다는 주장은 우리와 같은 입장의 연구자들을 근심하게 만든다.

혁신의 모델은 다양하다. 돈을 벌겠다는 의욕으로 단독으로 연구하는 외로운 발명가를 상상해 볼 수 있다. 혁신은 그러나 사회적인 과정이기도 하다. 적어도 약간은 더 평등한 나라가 1인당 특허건수도 많다. 이 질문과 경제성장과 관련된 앞선 질문을 연계해 살펴본다면, 이런 이야기를 할 수 있다. 보다 불평등한 나라는 계층 간 사회 이동이 더디다. 국제적인 수학, 국어 시험 평가 점수가 낮다. 불평등은 '낭비'를 수반한다. 불평등한 나라는 국민의 재능을 충분히 활용하고 있지 못한 것이다. 국민 재능의 낭비는 경제성장이나 창의력 구현에도 부정적인 결과를 낳는다.

한국은 교육적인 성과가 좋다. 적어도 과거에 평등했던 소득구조가 오늘날 교육성과에서 힘을 발휘하고 있는 한 요인이 되고 있다고 본다. 보다 평등한 나라에서는 부잣집 학생이나 가난한 집 학생이나 교육성취도상으로 큰 차이가 나지 않는다. 불평등이 사람들을 더 열심히 노력하게 한다는 주장은 웃기는 얘기다. 불평등은 사회계층 간 이동의 장벽을 쌓는다. 장벽을 넘기 위해 한층 더 애쓰는 것은 장벽이 없었다면 애초에 불필요한 것이다.

물질 아닌 사회관계에서 행복 찾는 시대

김환영 유전과 불평등 사이에는 어떤 관계가 있나.

리처드 윌킨슨 아무런 관계가 없다. 유전이 사회계급 간 차이의 원인이 되기에는 사회계급 간 결혼이 역사적으로 너무나 활발했다. 사회계급 간 지능의 차이가 있더라도 차이의 원인은 선천적innate인 게 아니다. 그보다는 소득 차이를 바탕으로 한 환경 차이 때문이다. 아동기에 인간의 뇌가 어떻게 발달하는지 우리는 점차 많은 것을 알게 됐다. 그 반대라면 또 모르지만 머리가 나빠 가난해지는 게 아니다.

김환영 평등트러스트The Equality Trust(www.equalitytrust.org.uk)라는 기관을 설립했다. 한국에 지부를 세울 수도 있는지.

리처드 윌킨슨 2009년 설립했다. 목적은 우리 주장의 과학적 근거를 보다 많은 사람에게 전파해 불평등이 사회에 미치는 악영향을 사람들이 쉽게 알 수 있도록 하기 위해서다. 아무리 많은 연구결과가 나와도 사람들에게 전파되지 않으면 사회를 변화시킬 수 없기 때문이다. 공동 설립자 중 한 사람인 빌 케리Bill Kerry가 대외협력을 담당하고 있다.

김환영 한국 독자들에게 강조하고자 하는 내용이 있다면.

리처드 윌킨슨 역사적으로는 경제성장으로 소비나 물질 스탠더드standard를 높임으로써 삶의 질을 개선하는 게 가능했다. 부자 나라들은 그게 불가능한 한계점에 다다랐다. 부자 나라에서는 일인당 소득과 행복, 기대수명, 각종 웰빙의 지표 사이에 별 관계가 없다. 이제 가장 중요한 것은 사회 환경, 사람과 사람 사이의 관계다. 바로 그렇기 때문에 평등이 중요하다. 불평등은 사회를 분열시키고 공동체 속 삶을 약화시키기 때문이다.
사회관계가 얼마나 중요한지 건강과 행복에 대한 연구가 밝히고 있다. 우정과 건강의 상관관계에 대한 150여 개 연구를 종합한 보고서에 따르면, 친구가 없다는 것은 흡연보다 더 나쁘다. 우정, 공동체 활동 참여, 만족스러운 부부생활 등 사회관계의 질이 우리의 행복을 결정한다. 그러므로 우리는 물질보다는 사회구조social fabric를 생각할 때다. 소득 차이를 축소시킴으로써 사회적 웰빙을 증진할 수 있다고 생각한다.

슬로라이프!
보다 풍성한 우리의 삶을 위해

쓰지 신이치
일본 메이지학원대 교수

"일본의 핵 누출 사고는 우리의 라이프스타일이 얼마나 위험한지 상징적으로 보여 준다. 핵발전소가 필요한 이유는 변기 커버 가열이나 24시간 뜨거운 물이 나오는 전기포트에 전기를 공급하기 위해서다. 우스꽝스러운 일이다."

●●●●

쓰지 신이치 메이지학원대학 교수는 세계적인 슬로라이프 이론가이자 운동가다. 우리 말로도 번역된 『슬로 이즈 뷰티풀』, 『슬로라이프』를 저술해 일본 사회에서 슬로라이프 돌풍을 일으키고 있는 그에게 물었다.

김환영 슬로라이프에 관심을 갖게 된 계기는.

쓰지 신이치 체험에서 우러나왔다. 나는 미국에서 인디언들과 우정을 나눴고 중남미 인디오 문화도 접하게 됐다. 경제성장보다는 환경, 그리고 공동체와 조화롭게 사는 게 더 중요한 삶의 유형을 발견했다. 그들에게 중요한 것은 소유ownership가 아니라 관계relationship였다. 보다 많은 것을 소유하기 위해서는 경쟁이 점점 더 치열해진다. 제3세계 사람들은 경제적으로는 덜 성공적이지만 삶은 더 풍성하다. 우리보다 시간이 더 많고 인생을 더 많이 즐긴다. 새로운 인간관계를 만들고 유지하는 것도 더 잘한다. 가족, 친구, 공동체, 자연과 관계를 발전시키기 위해서는 많은 시간이 필요하다. 속도를 내기 시작하면 이런 관계가 붕괴하기 시작한다.

김환영 그들은 그들, 우리는 우리 식대로 살면 되는 게 아닌가.

쓰지 신이치 그들과 우리의 삶은 연결돼 있다. 원주민들의 자연이 파괴되고 있다. 일본인, 미국인, 한국인들이 삶에 가속도를 내고 있기 때문이다. 우리 삶이 빨라지면 제3세계 자연환경이 파괴된다. 그들의 삶에 문제가 없다는 것은 아니지만 발전의 이름으로 우리는 그들의 삶에 많은 문제를 일으키고 있다. 그래서 파괴적이지 않은 슬로라이프가 필요하다. 슬로라이프는 보다 풍성한 우리 자신의 삶을 위해서도 필요하다. 남들과 경쟁하고 남들을 착취하는 것보다는 남들과 나누는 데 더 큰 기쁨이 있다.

김환영 빠른 삶에 그렇게 문제가 많은가.

쓰지 신이치 최근 발생한 일본의 핵 누출 사고는 우리 라이프스타일이 얼마나 위험한지 상징적으로 보여 준다. 핵발전소가 필요한 이유는 변기 커버 가열이나 24시간 뜨거운 물이 나오는 전기포트에 전기를 공급하기 위해서다. 우스꽝스러운 일이다.

김환영 한국이나 일본은 사회·경제적 여건이 슬로라이프에 적합한가.

쓰지 신이치 슬로라이프로 변화할 여건은 이미 구비됐다. 양국은 역사와 전통 속에서 지혜를 발견할 수 있고 땅으로 보나 물로 보나 매우 풍성한 자연환경을 갖고 있다. 슬로라이프를 방해하는 것은 정치다.

김환영 일단 잘살게 돼야 슬로라이프로 이행할 수 있는 게 아닌가.

쓰지 신이치 부탄 같은 나라를 보면 그렇지 않다. 부탄을 일곱 차례나 방문해 부탄 총리와도 의견을 나눴다. 부탄은 다른 나라들의 전철을 밟지 않으려 하고 있다.

불편해도 손, 발 써야 행복

김환영 슬로라이프는 불편한 삶은 아닌가.

쓰지 신이치 어떻게 '편하다', '불편하다'를 정의할 것인가. 따뜻한 변기나 자동문이 편안한가. 요즘 일본 아이들은 문을 어떻게 여는지 모른다. 우리가 바라는 편안함이 그런 것인가. 인간은 손을 사용함으로써 인간이 됐다. 인간의 손은 매우 창조적이다. 요리나 정원 가꾸기에 손을 사용하면 시간이 더 걸릴지 모르나 더 행복해질 수 있다. 걷는 게 시간이 더 많이 걸리지만 신체적, 정신적 건강에 더 좋다. 공동체의 다른 사람들과 지내는 데도 시간이 든다. 개인적인 갈등도 생긴다. 그러나 공동체의 삶이란 그런 것이다. 좀 불편할 수는 있어도 외롭지 않은 삶이다.

김환영 경제에 문제가 생기는 것은 아닌가.

쓰지 신이치 필요 없는 것을 없애면 경제 규모는 줄어든다. 하지만 그게 필요하다. 자연을 포함해 모든 시스템이 붕괴할 때까지 방관할 수 없다. 경제가 줄어들어도 우리 삶이 나빠지는 것은 아니다. 경제는 세계 경제에서 지역, 환경, 공동체 경제로 전환해야 한다. 지금 경제는 암에 걸린 것과 같다. 우주에는 영원히 성장하는 게 없다. 경제가 영원히 성장한다고 믿는 것은 미친 것이다. 한국과 일본은 아주 비슷하다. 나쁜 점에서도 비슷하다. 한국과 일본이 협력해 새로운 길로 나아가면 전 지구를 위한 모델이 될 수 있다.

미래는 동쪽에…
서구·이슬람 갈등에 엮이지 말라

타리크 라마단
영국 옥스퍼드대 석좌교수

“한국이 이슬람 국가를 포함해 모든 국가와 우호적인 관계를 바란다면 지금처럼과 같이 계속 다극화된 세계에 적극 참가해야 한다. 서구와 이슬람의 갈등이라는 함정에 빠지지 않는 게 매우 중요하다. 모든 아시아 국가와 채널을 열어둬야 한다. 미래는 서구보다는 동쪽을 향하고 있기 때문이다.”

●●●●

소크라테스Socrates는 이렇게 말했다. "단 한 가지 선善이 있다. 지식이다. 단 한 가지 악惡이 있다. 무지다." 무지에서 미움과 갈등, 범죄와 전쟁이 싹틀 수 있다. 모르면 손해 볼 일도 있다. 몰라도 됐는데 알아야 하는 대상으로 떠오르는 것도 있다. 이슬람이 그런 경우다. 무슬림 이주노동자들과 꾸준히 증가하는 한국인 무슬림은 우리 다문화 사회의 한 축을 이루고 있다. 이란 석유 수입 중단이 국내 경제에 영향을 미치고 있다. '아랍의 봄'이 중동, 북아프리카 지역에 진출한 기업들에 미치는 파장도 있다.

이슬람 관련 현안에 대해 알아보기 위해 타리크 라마단 옥스퍼드대 석좌교수를 인터뷰했다. 그는 '이슬람의 마틴 루터Martin Luther'로 불리는 개혁파이자 서구화된 무슬림이다. 종교와 정치, 종교와 문화를 구분하면 현대 이슬람, 유럽 이슬람이 뭘 바꿀 수 있는지, 뭘 바꾸면 안 되는지 답이 나온다는 방법론을 제시하고 있다. 유럽과 중동 무슬림에게 막강한 영향력을 행사하고 있는 세계적인 공공지식인으로, 《포린폴리시》가 2010년 선정한 '세계 100대 지식인' 중 49위다. 시사주간지 《타임》은 '세계에서 가장 영향력 있는 지식인 100명'(2004), '가장 혁신적인 21세기 인물 톱 100'(2000) 명단에 그를 올렸다.

김환영 세계적인 공공지식인으로 각광받는 이유가 궁금하다. 인기의 비결은.

타리크 라마단 모르겠다. 이슬람 국가와 서구에서 이슬람이 받고 있는 도전에 대해 지난 25년간 수행한 연구가 평가받았기 때문인지 모른다.

김환영 스스로를 어떻게 정의하는가.

타리크 라마단 개혁주의 무슬림이다.

김환영 '이슬람의 마틴 루터'라는 호칭이 마음에 드는가.

타리크 라마단 아니다. 루터는 항상 개방적이지는 않았다. 또한 나는 그저 개혁주의적인 이슬람 학자에 불과하다.

이슬람은 윤리와 정치를 분리하는 데 반대할 뿐

김환영 세속화가 이슬람이 나아갈 길인가.

타리크 라마단 세속화는 편향성이 내재된 개념이다. 이슬람 국가에서 가장 중요한 것은 정치의 영역과 종교의 영역에 속하는 것을 올바르게 구분하고, 종교를 정치의 윤리적 준거로 사용하는 것이다. 이슬람은 국가와 종교의 권력을 분리하는 데 반대하는 게 아니라 윤리와 정치를 분리하는 데 반대한다.

김환영 제2차 바티칸공의회를 기점으로 가톨릭 교회에 큰 변화가 있었다. 이슬람에도 비슷한 변화가 일어날 수 있나.

타리크 라마단 두 개의 역사와 종교를 비교하는 것은 옳지 않다고 생각한다. 다만 이슬람 역사에도 개혁적, 방어적, 반동적 조류 등 여러 가지 입장이 있다는 것을 지적할 수 있다. 이슬람에도 해방신학적 조류가 있다. 나 또한 해방신학을 일부 추구한다고 볼 수 있다.

김환영 (라마단 교수는 간통죄를 지은 사람을 돌을 던져 죽이는 형벌인 투석형投石刑으로 처벌하는 게 정당한지 따져보기 위해 유예기간을 갖자고 2003년 주장했다가 서구인의 분노를 샀다. 이슬람 학자로서 변화를 표방하는 그에게 변화의 근거는 이슬람 문헌이다.) 이슬람 텍스트 연구가로서 주된 발견은.

타리크 라마단 바뀌지도 않고 바꿀 수도 없는 원칙들principles이 있다. 문화는 바뀌며, 바꿀 수도 있다. 텍스트와 콘텍스트context를 살피면 무엇이 종교로부터 온 것이고 무엇이 문화로부터 온 것인지 알 수 있다. 문제는 텍스트에 있는 게 아니라 텍스트를 읽는 사람들에게 있다.

김환영 종교와 문화 사이의 공통집합이 크다. 종교와 문화의 분리는 어려울 것 같다.

타리크 라마단 맞다. 문화 없는 종교, 종교 없는 문화는 없다. 그러나 종교가 곧 문화는 아니다. 무엇이 종교이고 무엇이 문화인지 분간하는 것이 항상 쉽지는 않다. 그러나 종교적 원칙은 종교의 이름으로 행해지는 나쁜 문화적 관행을 선별적으로 추려내 없애는 데 도움을 줄 수 있다.

김환영 (이슬람 경전 연구와 더불어 라마단 교수의 전문 분야는 종교 간 대화interfaith dialogue다.) 종교 간 대화에는 위험한 측면도 있다. 서로 더 많이 알게 되면 갈등이 증가할 수 있다.

타리크 라마단 그렇게 생각하지 않는다. 종교 사이에 보다 많은 대화와 교류가 당연히 필요하다. 종교 간 대화와 병행해 기독교, 유대교, 이슬람 등 각 종교 내부의 대화가 필요하다. 다른 종교에 대해 아는 것도 필요하다. 자신의 종교에 대해 더 큰 자신감을 주기 때문이다.

김환영 종교 간 대화의 문제점은 없나.

타리크 라마단 종교 간 대화가 전문가들을 중심으로 이뤄지고 있다. 공동체 차원으로 퍼지지 않고 있다. 일반인도 종교 간 대화에 대해 알아야 한다. 국가 내 지역들의 주도로 시작해 종교 간 대화가 국가 차원으로 발전해야 한다고 생각한다.

이슬람과 민주주의 사이에 문제 없어

김환영 ('아랍의 각성'은 그가 '아랍의 봄' 대신에 사용하는 용어다. '아랍의 각성'이 민주화로 귀결될 것인지에 대한 그의 의견을 물었다.) 이집트의 민주화는 어떻게 될 것인가.

타리크 라마단 이집트 정치는 이란보다는 터키에 가까운 방향으로 발전할 가능성이 크다. 하지만 이집트가 어떻게 변할지는 시간을 두고 지켜봐야 한다.

김환영 시리아와 터키의 충돌을 권위주의적 이슬람과 민주적 이슬람의 충돌로 봐도 되는가.

타리크 라마단 이슬람과는 상관없다. 정권의 문제다. 시리아 정권은 독재정부며 독재는 격퇴해야 한다.

김환영 이라크는 민주주의를 향해 가고 있는가.

타리크 라마단 불행히도 이라크에서 발생한 일들은 부족주의, 종파주의와 연관성이 훨씬 높다. 이라크 민주주의는 자그마한 진전을 보기 위해서도 오랜 시일이 걸릴 것이다.

김환영 그렇다면 아랍의 봄의 향방에 대해 비관적인가.

타리크 라마단 낙관한다. 중대하고 어려운 도전이 많다. 그러나 변화할 수 있고 실제로 변화가 일어나고 있다. '지적 혁명intellectual revolution'이 일어났다. 이 지역 국민은 자신들이 운명의 주인이며 독재를 비폭력적으로 무너뜨릴 수 있다는 것을 알게 된 것이다.

김환영 이슬람이 민주주의, 자본주의와 잘 안 맞는 것은 아닌가.

타리크 라마단 이슬람과 민주주의 사이에는 아무런 문제가 없다. 법치, 평등, 보통선거, 권력의 분립, 정치와 국가의 구별 등 민주주의 원칙과 충돌하지 않는다. 그러나 이슬람 관점에서 보면 자본주의에서 발견되는 투기, 착취, 이자와 같은 것들은 본질적으로 문제가 있다. 이슬람은 자본주의 체제에 대해 사색할 필요가 있다. 불행히도 대다수 정치화된 이슬람주의자들이 자본주의자들이다. 이것은 문제다.

김환영 카다피Gaddafi는 "신神이 유럽을 이슬람에 주었다"고 말한

적이 있다. 유럽이 결국 유라비아Eurabia가 될 것이라는 전망도 있다. 이슬람 위협론에 대한 생각은.

타리크 라마단 그런 주장은 사람들에게 공포심을 심기 위해 사용되고 있다. 유럽으로 이주한 무슬림이 유럽의 시민이 되고, 유럽 사회에 통합되는 게 미래다. 이미 그렇게 되고 있다.

김환영 다른 유럽 국가들과 달리 프랑스는 이슬람 이민자에게 시민으로서의 권리만을 인정하고 이슬람 공동체의 권리는 인정하지 않는다는데.

타리크 라마단 물론 프랑스, 네덜란드, 영국 등 나라에 따라 차이가 있다. 하지만 문제의 핵심은 그런 차이가 아니다. 문제는 각 정부가 표방하고 있는 가치와 실제로 실천하는 정치 사이에 차이가 있다는 것이다. 이슬람 이민자에 대한 사회적 차별, 인종차별, 외국인 혐오xenophobia, 이슬람 혐오Islamophobia가 있다.

김환영 이슬람 신자들에 대한 불관용intolerance이 증가하고 있다.

타리크 라마단 유럽뿐만 아니라 미국에서 강한 포퓰리즘이 발견된다. 사람들이 세계화, 이민, 이슬람을 두려워하기 때문이다. 배타적인 정체성, 외국인 혐오가 배양되고 있다. 그런 상태는 무슬림뿐만 아니라 사회를 위해서도 위험한 것이다.

김환영 한국은 이슬람 국가를 포함해 모든 국가와 우호적인 관계를 바란다. 어떤 제언을 하겠는가.

타리크 라마단 지금처럼 한국은 계속 다극화된 세계에 적극 참가해야 한다. 서구와 이슬람의 갈등이라는 함정에 한국이 빠지지 않는 게 매우 중요하다. 한국은 모든 아시아 국가와 채널을 열어둬야 한다. 미래는 서구보다는 동쪽을 향하고 있기 때문이다.

세계화에 조응하는 '세계질서 2.0'이 필요하다

리처드 하스
미국외교협회(CFR) 회장

> 과거와 달리 오늘과 내일의 세계에서 주권 국가들은 서로에 대한 의무가 있다는 것을 받아들여야 한다. 그래야 우리는 집단적으로 세계화의 도전을 더 잘 관리할 수 있다. 세계화의 도전에는 기후변화, 핵 확산, 테러, 무역, 전염병의 확산, 사이버공간의 규칙 같은 것이 포함된다. 수백 년간 유지된 '세계질서 1.0'의 기본적인 접근법도 유지돼야 하지만, 세계화와 관련된 점증하는 도전에 대응할 필요가 있다.

●●●●

제1, 2차 세계대전 이후 미국이 세계를 주도하게 된 것은 미국의 바람 때문이 아니라, 오히려 '떠밀려' 패권국가가 된 측면도 있다. 준비가 미흡했던 미국에 세계운영 방략을 제공한 주요 기관으로 미국외교협회 CFR, Council on Foreign Relations를 꼽을 수 있다.

1921년 창립된 CFR의 뿌리는 미국 제28대 대통령 우드로 윌슨Woodrow Wilson(1856~1924)에게 '14개조 평화원칙'의 기초를 제공한 '인콰이어리 The Inquiry'라는 학자 150여 명의 연구 모임이었다. 1921년 창립된 초당파 비영리기관 CFR은 미국에서 가장 영향력 있는 외교·안보 싱크탱크로 봉쇄, 핵 억지, 무기 통제, 핵 비확산, 미·중 수교를 비롯한 주요 미국 외교정책의 산실 역할을 해왔다. 또한 CFR은 고위 관료, 학자, 언론인, 법률가, 기업인에게 토론의 장을 제공한다. 일부 음모론자는 CFR이 일루미나티(비밀결사조직)를 계승한 세계정부 추진 조직이라고 주장한다. CFR의 영향력이 그만큼 막강하기에 나올 수 있는 주장이다.

2003년부터 CFR을 이끌고 있는 리처드 하스 회장은 『대외정책은 국내에서 시작한다Foreign Policy Begins at Home』, 『미국 외교정책의 대반격 Opportunity: America's Moment to Alter History's Course』을 비롯해 13권의 책을 저술 혹은 편집했다. 아직 우리말 번역본이 나오지 않은 『혼란에 빠진 세계A World in Disarray』에서 그는 다른 나라에 대한 의무를 주권 개념에 포함시키는 '세계질서 2.0'을 주창했다. 학자의 솔직함과 외교관의 신중함이 동시에 느껴지는 인물이다. 조지 W. 부시 대통령 시절에 국무부 정책기획국장(2001~2003)으로 일했으며, 트럼프 행정부에서는 국무장관으로 물망에 오르기도 했다. 트럼프는 대선후보 시절 그를 존경하며, 매우 좋아한다고 말한 바 있다.

김환영 최근 한국을 방문해 한국고등교육재단에서 강연을 했고, 외교안보 전문가들을 만났다. 어떤 이야기를 주로 했나.

리처드 하스 미국 외교정책의 대요大要를 말했다. 한반도 상황에 대한 의견을 나누는 데 상당한 시간을 할애했다. 북한의 위협에 대처하기 위해서는 한국과 미국이 공동의 정책을 찾아내는 게 중요하다고 강조했다.

사드배치 문제로 한·미 관계를 걱정하는 사람들이 많다

김환영 문재인 대통령도 만났는데 어떤 인상을 받았나?

리처드 하스 만나기 전에 예상했던 그대로였다. 한국을 비롯한 민주주의 국가에서 최고 지도자로 당선된 인물들은 정치적인 스킬이 탁월하다. 문 대통령 또한 타고난 정치 지도자로, 열린 대화를 하는 사람이었다. 그는 자신이 고고도미사일방어THAAD(사드) 체계와 같은 사안에서도 국내적으로 민주적인 절차가 필요한 입장이라고 설명했다. 나는 그러한 문 대통령의 입장을 인정했지만, 한·미 양국이 사드 전개를 계속하는 게 중요하다는 점을 역설했다. 북한이 한국 국민뿐 아니라 주한미군의 안전을 위협하기 때문이다.

김환영 워싱턴에는 사드배치 문제로 한·미 관계를 걱정하는 사람들이 많은가.

리처드 하스 나는 '걱정'이라는 표현을 쓰지 않겠다. 문 대통령이 미국에 잘 알려지지 않았기 때문에 생기는 우려는 양국 정상 간의 만남을 통해 해소될 수 있다. 한·미 관계는 미국에 중요하다. 북한이 미사일·핵 프로그램을 진행하고 있고 중국이 '동아시아 지역 강국'과 '글로벌 강국'으로 부상하고 있기 때문에 지금은 특별히 중요한 시기다. 한·미 양국은 영어 표현 'on the same page'대로 최대한 합심해서 공동의 이해에 도달하는 게 중요하다.

김환영 미국의 기존 대북정책인 '전략적 인내strategic patience'는 트럼프 시대에 어떤 전략으로 바뀔 것인가.

리처드 하스 모르겠다. 지난 20년간 지속돼온 전략적 인내 정책이 수명을 다한 것은 맞다. 우리의 인내는 보상받지 못했고 북한은 아마도 핵탄두 12개와 다양한 사거리의 미사일을 확보했다. 미국 외교안보 전문가들은 전략적 인내를 뭔가 다른 것으로 바꿀 때가 됐다는 합의에 도달했다. 힐러리 클린턴Hillary Clinton이 대통령이 됐더라도 대북정책 수정 결정을 내렸을 것이다.
현 시점에서는 기본적으로 세 가지 선택지가 있다. 첫째 선택은, 가만히 물러서서 북한이 핵무기 수를 늘리고 보다 정확하고 보다 긴 사거리의 미사일을 개발하도록 '허용allow'하는 가운데 우리의 미사일방어체계MD와 억지력에 의존하는 것이다. 둘째 선택은 군사력 사용이다. 북한의 핵·미사일 능력을 최대한 파괴하기 위해 '제한된 타격limited strike'을 가하는 것이다. 셋째 선택은 협상으로 결과를 내는 것이다. 협상의 첫 단계에서는 북한의 미사일, 핵 능력에 대해 입증 가능한 동결을 부과하는 게 가장 현실적이다. 장기적인 목표는 북한의 탈핵·탈미사일이다. 원칙적으로 미국, 한국과 다른 나라들은 북한 핵·미사일 능력의 상한선ceiling이나 동결을 수용할 준비가 돼 있어야 한다. 당연히 그 다음 문제는 북한이 동결에 동의하도록 설득하기 위해 북한에 구체적으로 무엇을 제공해야 할지를 결정하는 것이다. 내가 보기엔 중국이 참여하는 가운데 군사적 위협 같은 압력과 다양한 제재, 어느 정도 북한을 정치적으로 더 인정해주는 등 인센티브를 섞는 게 필요하다.

트럼프는 고립주의자가 아니다

김환영 트럼프 대통령에 대한 흔한 오해는 무엇이라고 생각하는가. 그를 평가한다면….

리처드 하스 트럼프 대통령에 대한 '흔한 오해'가 있는지에 대해서는 확신이 안 선다. 그는 아웃사이더다. 사업가이지 정치인이 아니다. 정치 무대로 들어와 현재까지는 놀라울 정도로 잘하고 있다. 미국의 정치과정을 헤쳐 나가고 있다. 하지만 트럼프 대통령은 비즈니스나 대선 캠페인 과정에서 도움이 됐던 자신의 스킬이 백악관 대통령 집무실에서는 반드시 도움이 되지 않는다는 걸 발견하고 있을 것이다. 진짜 문제는 그가 '가던 길을 계속 갈 것인가, 아니면 궤도를 수정할 의지와 능력이 있는가'다. '그는 중도 수정mid-course corrections을 할 것인가.' 나는 이 질문에 대한 답을 모르겠다.

김환영 너무 이른 질문이긴 하지만, 트럼프 대통령이 남길 정치적 유산legacy은 무엇이 될까.

리처드 하스 당신이 말한 대로 아직 너무 이르다. 하지만 이미 몇 가지 유산이 있다. 그중 하나는 과거와의 '단절'이다. 그는 미국이 세계무역체제에 헌신할 필요가 있는지에 대해 근본적인 질문을 던졌다. 그는 미국을 환태평양경제동반자협정TPP과 파리기후변화협약에서 탈퇴시켰다. 그는 미국의 동맹관계에 대해서도 의문을 제기했다. 내가 보기에는 제2차 세계대전이나 냉전 이후에 미국에 지침이 됐던 기본적, 근본적 원칙을 문제 삼은 게 트럼프의 주요 외교정책 유산이다. 현재로서 국내 유산은 새 연방대법관을 임명한 것이다.

김환영 고립주의적으로 보이는 트럼프 대통령의 '미국우선주의 America First'는 미국의 글로벌리즘과 고립주의 사이의 갈등을 증폭시켰다고 보는가.

리처드 하스 꼭 그렇지는 않다. 그는 고립주의자가 아니다. 중동에서 미군 병력을 유지하고 있고 북한이 제기하는 위협에 집중하고 있다. 고립주의자는 아니지만, 기존의 여러 미국 외교정책의 구조를 미국이 존중해야 할 필요성을 받아들이지 않는다. 그게 트럼프 대통령과 전임 대통령들과의 다른 점이다. '미국우선주의'는 미국과 세계의 관계에 대한 새로운 접근법이다.
트럼프는 미국과 다른 나라들 사이의 상설적 관계standing relationship보다는 개별적인 각각의 거래individual transactions를 더 중시한다. 이러한 트럼프의 국제관계 관념은, 미국의 국제적 관여와 리더십이 미국에 주는 이익에 대한 회의를 반영한다. 트럼프 대통령은 전 세계에서 미국이 많은 돈을 움직이기 때문에 그 돈을 미국 내에서 사용해야 한다고 생각한다. 현재로서는 나는 트럼프의 그러한 생각에 동의하지 않는다.

김환영 중국은 북한이 붕괴되는 상황을 걱정한다. 통일한국이 스위스처럼 영세중립국이 되는 것은 어떨까. 통일한국에 대한 중국의 우려를 덜어줘야 중국이 북한의 핵개발 프로그램 종료를 위해 더 적극적으로 나서지 않을까.

리처드 하스 내가 보기에 중국은 한반도 통일보다는 한반도 분단을 선호한다. 물론 중국은 지금보다 덜 까다로운 북한, 중국의 경제발전 모델을 따르는 북한을 바란다. 한반도 통일은 중요한 주제다. 나는 통일이 언젠가는 이뤄지기를 바란다. 우선 미국과 한국이 통일에 대해 솔직하게 논의해야 한다고 생각한다. 한·미 양국은 비핵화 등 통일한국의 조건에 대해 중국과도 논의해야 한다.

나는 통일한국이 미국의 동맹국으로 남아 있을 수 있다고 생각한다. 문제는 통일한국에서 미군이 계속 주둔할 것인지, 주둔한다면 어디에 병력을 배치할 것인지다. 예를 들면 통일한국에서 미군이 38선 가까이 주둔할 필요가 없을 것이다. 미군은 그보다 남쪽 혹은 해안선에 주둔할 수 있을 것이다. 통일한국에 미군이 남는다면 그 존재 이유는 한반도보다는 역내域內의 '만일의 긴급상황contingency'이 될 것이다. 그러한 문제는 워싱턴과 서울 사이, 더 나아가서는 중국과도 정당한 대화와 협의의 대상이다. 우리 모두 중국이 북한에 더 많은 압력을 넣기를 바란다. 우리는 현상유지status quo를 깬 상황이 중국이 충분히 받아들일 만할 것이라고 중국을 안심시키고 설득해야 한다.

한·미 관계의 파이를 키우자

김환영 국제관계international relations의 가장 중요한 원칙은 무엇이라고 생각하나.

리처드 하스 군사력을 사용해 국경을 바꾸거나 다른 나라들을 위협하면 안 된다는 게 가장 중요하다. 이 아이디어는 내가 '세계질서World Order 1.0'이라고 부르는 것의 기반이다. 주권이 국제관계의 기초이며 주권을 존중해야 한다는 것이다. 러시아가 우크라이나에, 사담 후세인Saddam Hussein이 쿠웨이트에 한 일은 불필요한 것이었다. 『혼란에 빠진 세계』에서 주장했듯이 주권의 존중만으로는 더 이상 충분하지 않다. '세계질서 2.0'이 필요하다. 과거와 달리 오늘과 내일의 세계에서 주권 국가들은 서로에 대한 의무obligations가 있다는 것을 받아들여야 한다. 그래야 우리는 집단적으로 세계화의 도전을 더 잘 관리할 수 있다. 세계화의 도전에는 기후변화, 핵 확산, 테러, 무역, 전염병의 확산, 사이버공간의 규칙 같은 게 포함된다. 수백 년간 유지된 '세계질서 1.0'의 기본적인 접근법도 유지돼야 하지만, 세계화와 관련된 점증하는 도전에 대응할 필요가 있다.

김환영 중국은 결국 다당제 자유민주주의 국가가 될 거라고 보는가.

리처드 하스 가까운 미래에는 그럴 가능성이 없다고 본다. 많은 중국인이 통합된 사회와 효율적인 경제를 위해 공산당이건 무엇이건 강한 집행기관이 필요하다고 믿는다.

김환영 세계의 다른 나라와 이들 나라의 국민에 비해 한국과 한국민은 '지나치게too' 친미적pro-American인 것 아닌가.

리처드 하스 (웃음) 나는 미국인으로서 지나치게 친미적인 게 가능한지를 생각하는 게 어렵다. 내가 보기에 한국은 오랫동안 미국의 좋은 동맹국이었다. 한국은 여러 분쟁에서 미국과 같은 편에서 싸웠다. 한국은 정치적으로 주목할 만한 성공 스토리다. 굳건한 민주국가가 됐다. 경제 규모상으로는 세계 10위권이다. 내가 개인적으로 희망하는 것은 한·미 관계가 한반도를 넘어 보다 광범위한 목표를 추구하는 방향으로 발전하는 것이다. 한·미 양국은 어느 정도는 이미 그렇게 하고 있다. 한국과 미국은 한반도 내부의 안보 도전을 해결할 수 있다. 앞으로 양국 관계는 점점 더 한반도 문제를 해결하기 위한 파트너를 넘어서, '역내 파트너', '글로벌 파트너'로 발전해야 한다.

김환영 한·미 관계의 발전을 위해 한국민은 무엇을 해야 할 것인가.

리처드 하스 한·미 관계의 파이pie가 커지는 게 중요하다고 생각한다. 비즈니스 차원에서는 투자와 무역이 커져야 하고 개인 차원에서는 보다 많은 사람이 한국으로 또 미국으로 관광이나 유학을 떠나야 한다. 많은 한국 학생이 미국으로 온다. 앞으로는 보다 많은 미국 학생이 한국으로 가야 한다. 경제적인 유대나 공적인 유대 못지않게 개인적인 유대도 양국 관계의 발전에 도움이 되기 때문이다.

김환영 CFR에 가장 중요한 미션은 무엇인가.

리처드 하스 CFR은 독립적인 기관으로 당파성이 없다. CFR은 거의 한 세기 동안 존재해왔는데, 우리의 미션은 미국이 세계에서 수행해야 할 역할에 대한 대화와 토론의 수준을 높이는 데 공헌하는 것이다. 그래서 우리는 《포린어페어스》나 단행본, 교육용 문헌을 발간한다. 보다 많은 미국인이 세계를 이해하기 바라며, 그들이 세계 속 미국의 선택에는 어떤 게 있는지 알기를 바라기 때문이다.

세계가 어느 방향으로 가건 한국에는 문제 없을 것

토머스 프리드먼
뉴욕타임스(NYT) 칼럼니스트

"한국에 대해서는 걱정하지 않는다. 나는 문화가 중요하다는 신념이 강하다. 한국 문화는 교육, 근면, 혁신, 법치를 중시한다. 게다가 민주화 이후에는 민주주의를 중시한다. 한국은 그저 해오던 것을 향상시키고 존중하고 투자하면 된다. 세계가 어느 방향으로 가건 한국에는 문제가 없을 것이다."

《뉴욕타임스》 칼럼니스트인 토머스 프리드먼은 평생 한 번 받기도 힘든 퓰리처상을 세 번이나 받았다. 그의 또 다른 직업은 '설명가說明家, explainer'다. 숨 가쁘게 돌아가는 세계화의 본질을 저술 작업으로 일반인들과 엘리트에게 설명한다.
그가 쓴 『세계는 평평하다The World Is Flat』, 『렉서스와 올리브나무Lexus and the Olive Tree』 같은 세계적 베스트셀러는 우리나라에서도 탄탄한 독자층과 지지자를 확보했다. 『늦어서 고마워Thank You for Being Late』가 최근 우리말로 번역됐다. '늦어서 고마워'는 약속에 늦은 사람 덕분에 생각할 시간을 벌었기에 그의 입에서 튀어나온 말이다. '얼음이 녹으면?'이라는 질문에 '물이 된다'고 대답하면 수직적 사고, '봄이 된다'고 하면 수평적 사고다. 인터뷰해보니 그는 수평적 사고를 하는 사람이었다. 그에게 책 이야기와 함께 국내외 주요 정세 등 우리의 관심거리를 물어봤다.

김환영 『늦어서 고마워』에 대한 반응은.

토머스 프리드먼 넉 달 동안 《뉴욕타임스》 베스트셀러 목록에 올랐다. 아마존 웹사이트에서 책을 평가한 독자들 635명 중 70프로가 별 5개를 줬다.

김환영 그토록 인기가 높은 이유는 뭐라고 생각하나.

토머스 프리드먼 사람들은 아주 많은 것들이 그들의 삶을 바꿔 놓고 있다는 것을 알고 있다. 너무나 많은 일들이 현기증 나게 벌어진다. 기계가 인간의 오감五感 능력을 확보해 나가고 있다. 그래서 사람들은 변화를 헤쳐 나가기 위해 기술, 세계화, 환경의 거시적 변화를 설명해주고 새 환경 속에서 번창하게 도와줄 작가가 필요하다. 정부들은 보다 좋은 결정을 내리는 데 도움이 되는 책이 필요하다. 책 서두에 밝힌 것처럼 나는 '번역가'다. '어려운 말을 쉬운 말로 번역'한다. 내가 궁금해 하는 아주 복잡한 주제를 분해해 이해한 바를 독자들과 공유한다.

빅 픽처를 봐야 한다

김환영 새 환경에 적응하려면 우리의 생각은 어떻게 바뀌어야 하는가.

토머스 프리드먼 이번 책에 인용한 시스템 분석가 린 웰스Lin Wells의 말에 동의한다. 웰스에 따르면 고도로 통합된 오늘의 세계에서는 '박스 밖에서out of the box' 독창적으로 생각하는 것은 불충분하다. 이제 박스 없이without a box' 생각하는 게 필요하다. 항상 기술, 세계화, 환경을 통합하는 사고로 '큰 그림big picture'을 봐야 한다.

김환영 리더십은 어떻게 바뀌어야 하는가.

토머스 프리드먼 세계는 동시에 평평하고flat 빠르게fast 됐기 때문에 아주 작은 실수가 엄청나게 부정적인 결과를 낳을 수 있다. 한국이 시속 5키로의 속도로 500키로를 가면 되는 시대에는 나쁜 지도자를 만났더라도 쉽고 빠르게 궤도를 수정할 수 있었다. 하지만 한국이 시속 500키로로 5만 키로를 가야 하는 시대에는 본 궤도로 복귀하는 데 엄청난 고통이 따른다. 그래서 비즈니스, 사회, 정부 지도자들의 리더십이 각별히 더 중요해졌다. 리더들은 아침마다 다음과 같은 질문을 스스로에게 해야 한다. '나는 어떤 세계에 살고 있는가', '가장 큰 트렌드는 어떤 게 있나', '우리 회사 사람들이 트렌드로부터 최상의 이익을 얻어 번창하고 최악의 결과를 피하려면 무엇을 해야 하는가' 등을 말이다. 내 책은 그런 고민을 하는 지도자들에게 필요한 매뉴얼이다.

김환영 앞으로 수십 년 간 세계화의 본질 자체가 바뀔 것인가.

토머스 프리드먼 그렇다. 점차 세계는 연결connected에서 상호연결interconnected, 초연결hyper-connected, 상호의존interdependent 상태로 이

동하고 있다. 한곳에서 일어나는 일이 세계의 모든 다른 곳에 잔물결효과ripple effect를 초래한다. 한국은 상대적으로 작지만 강력한 글로벌 경제를 갖고 있기 때문에 세계 모든 곳에서 일어나는 일의 영향을 받고 있다.

김환영 인공지능 같은 기술이 가져올 미래에 대해 낙관하는 입장인가.

토머스 프리드먼 그렇다. 나는 기계나 소프트웨어, 로봇이 우리가 싫어하는 많은 일을 하게 될 것이라고 생각한다. 대신 우리는 마음과 관련된 일, 마음과 마음을 연결하는 일, 사람을 가르치고 보살피는 일 같은 인간이 잘하는 일을 하게 될 것이다.

김환영 일자리 문제는 어떻게 보는가.

토머스 프리드먼 보다 적응력이 뛰어난 노동자층을 형성해야 한다. 우리들은 어떤 일자리들이 생길지 예측할 수 없다. 우리가 아는 것은 평생교육을 스스로 추구하는 성향의 노동자가 최고의 노동자라는 것이다. 비즈니스, 산업, 정부, 교육기관이 긴밀히 연합해야 노동자들에게 평생교육을 제공할 수 있다. 이제 노동자들에 필요한 것은 '생활임금living wage'이 아니라 '학습임금learning wage'이다. 기업들은 노동자들이 끊임없이 스킬을 향상시킬 수 있는 기회를 제공해야 한다.

김환영 중국은 보다 민주적인 나라가 될 것으로 보는가.

토머스 프리드먼 10년 전에는 그렇게 봤지만, 지금은 아니다. 부분적으로는 민주국가들이 잘못하고 있기 때문이다. 트럼프가 당선된 것도 그렇고….

김환영 트럼프는 세계화의 적敵인가. 트럼프를 평가한다면….

토머스 프리드먼 그렇다. 제2차 세계대전 이후 미국은 세계통합과 자유무역을 주도해 대체적으로 세계는 보다 많은 평화와 번영을 누렸다. 트럼프는 그런 미국의 역할을 존중하지 않는다. 그는 무지하고 부적절한 사람이다. 오로지 제로섬 관계만을 믿는다.

김정은에겐 계속 말을 걸어야

김환영 북한 지도자 김정은은 어떻게 보고 있는가.

토머스 프리드먼 계속 말을 걸어야 한다. 쉬운 해결책은 없다. 위험한 이웃과 오래 같이 지내야 할 것이다. 김정은은 자멸하지는 않을 것이다. 장담은 못하지만, 그가 전쟁을 일으켜 미국의 핵 반격을 초래하지는 않을 것이다.

김환영 프랑스 에마뉘엘 마크롱Emmanuel Macron 대통령의 당선을 어떻게 바라보는가.

토머스 프리드먼 마크롱은 주요 국가에서 집권한 최초의 극단적 중도주의자다. 이제 시작일뿐, 그가 마지막은 아니다. 가속변화의 시대에는 좌·우파로부터 가장 좋은 것만 선택해 정치를 한 단계 끌어 올리는 지도자들이 나와야 한다. 사회안전망 강화, 실업자들의 노동시장 진입 지원과 더불어 기업가정신과 자본주의의 강화가 필요하다.

김환영 한국은 어떻게 될 것이며, 지금 무엇을 해야 하는가.

토머스 프리드먼 한국에 대해서는 걱정하지 않는다. 나는 문화가 중요하다는 신념이 강하다. 한국 문화는 교육, 근면, 혁신, 법치를 중시한다. 게다가 민주화 이후에는 민주주의를 중시한다. 한국은 그저 해오던 것을 향상시키고 존중하고 투자하면 된다. 세계가 어느 방향으로 가건 한국에는 문제가 없을 것이다.

세계 석학들과 인터뷰를 해보니…

기자로서 '세계적 석학들'과 인터뷰를 꽤 많이 했다. 프랜시스 후쿠야마, 조지프 나이, 폴 케네디, 폴 새뮤얼슨, 슬라보이 지제크, 유발 하라리, 알랭 드 보통 등 수십 명의 인터뷰이와 말이다. 이 책이 세계의 정치, 경제, 문화를 움직이는 석학들의 인사이트를 이해하고 생각의 크기를 넓히고자 하는 독자들이나 언론정보학이나 커뮤니케이션학을 전공하는 학생들에게 조금이라도 도움이 됐으면 좋겠다. 다음은 Q&A로 정리한 이 책을 펴낸 이유이자 목적이다.

Q 세계적인 석학을 어떻게 정의할 수 있나.

A 물론 일정한 정의가 있는 것은 아니다. '세계적인 석학' 증명

서를 발급하는 기관은 없다. 하지만 몇 가지 지표가 있다. 헤네시John L. Hennessy 스탠퍼드대 총장에 따르면 세계의 모든 대학들이 탐내는 학자의 수는 약 2,000명으로 사실 많지 않다. 그들은 원하는 모든 대학으로 옮길 수 있다. 일차적으로 그들을 석학의 범주에 넣을 수 있다. 그들 중 특히 우리가 관심을 가져야 할 대상은 공공지식인인 경우다. 그들은 《뉴욕타임스》, 《이코노미스트》, 《파이낸셜타임스》, 《가디언The Guardian》 등 명품 매체에 기고한다. 그들이 책을 펴내면 모든 주요 매체들이 서평을 게재한다.

Q 석학 인터뷰를 읽어봐도 별 내용이 없다.

A 그렇게 반응하는 독자는 굉장한 수준급 독자다. 사실 그런 독자나 석학이 '계급장'을 떼고 한 2,000자 정도 분량의 칼럼을 쓴다면 우열을 가릴 수 없는 경우도 많을 것이다. 상당수 우리 댓글인은 시각과 분석이 아주 날카롭다. 그렇다면 그런 고급 독자와 석학의 차이는 무엇일까. '주저主著가 있느냐 없느냐다'라고 생각한다. 석학들은 수십 년 동안 자신의 전공 분야를 파고들었으며 수년에 한 번씩 책을 펴낸다. 그들의 책은 학계와 일반 독자들의 냉혹한 검증을 거친다. 석학 인터뷰에 별 내용이 없다는 느낌은 기자의 부족한 실력 때문일 수도 있지만, 독자가 '예비 석학'으로서 가능성이 있기 때문이라고 생각한다.

Q 석학 인터뷰를 하는 데 대략 어느 정도 시간이 드는가.

A 15~20분 정도면 충분하다. 석학들은 밀도 있게 '영양가' 있는 답변을 하기 때문이다. 20분을 넘어가면, 제한된 지면에 모든 내용을 담을 수 없기 때문에 아깝지만 잘라내야 한다. 사실 15~20분은 엄청난 길이의 시간이다.

Q 해외 석학과 국내 인사들의 인터뷰에서 두드러진 차이가 있다면….

A 언어 습관 차이가 있다. 석학들은 두괄식으로 말한다. 우리는 대체적으로 미괄식으로 말한다. 기자 입장에서는 결론을 미리 던지고 이를 설명하는 두괄식이 더 편하다.

Q 석학이지만 한국에 대해 잘 모르는 사람들에게 우리 문제를 묻는 것은 사실 문제 아닌가.

A 타당성 있는 지적이다. 우리 문제는 우리가 제일 잘 안다. 하지만 석학급 학자 정도가 되면 의외로 한국에 대해서 많이 안다. 그들은 한국이 재미있는 주요 사례이기 때문에 모니터링을 한다. 그래서 그들의 언급에서 상당한 통찰을 얻을 수 있다. 한국에 대해 물어야 할 다른 중요한 이유가 있다. 한국에 대해 자주 물어야 석학들이 한국 문제에 대해 더 많은 관

심을 갖게 되고 그들의 연구물이나 언론 기고문에 한국을 더 자주 인용하게 된다. 한국에 대한 그들의 한마디가 곧 공공외교다.

Q 석학과 인터뷰할 기회를 얻었지만, 기자가 '후진' 질문을 해 웃음거리가 된 것 같다.

A 기자가 뼈아프게 반성해야 할 독자의 지적이다. 사실 좋은 질문을 하는 게 제일 중요하다. 좋은 질문을 하기 위해서는 평소 공부를 많이 해야 한다. 변명하자면, 기자도 좋은 질문을 개발하기 위해 사전 준비를 많이 한다. 기자의 질문보다는 석학의 답변이 독자들에게 중요하기 때문에 한 20초 가량의 '수준 있는' 질문을 단 한 마디로 요약하려고 한다. 비판적인 독자들이 생각하는 것보다는 인터뷰 분위기가 훨씬 좋다.

Q 한국에 대해 석학들이 이구동성으로 하는 말이 있다면?

A 그들은 한국에 대해 주목하고 있으며, 큰 기대를 걸고 있다. 한국이 제 목소리를 내야 한다고 주문한다. 세상을 바꿀 수 있는 아이디어가 한국에서 나올 것이라는 것이다. 그들의 기대에 부응할 때가 됐다.

Q 석학 인터뷰의 요령 같은 게 있다면.

A 나름대로 치밀한 사전 조사가 필요하지만, 급하면 정형화된 몇 가지 질문을 해도 괜찮은 인터뷰 기사를 쓸 수 있다. 예컨대 다음과 같은 질문이다. '당신 분야에서 벌어지고 있는 가장 신나는 일은', '당신에게 최대의 도전은', '마지막으로 한국 독자들에게 꼭 해야 할 말이 있다면' 같은 것들이다.

Q 마지막으로 독자들에게 전달해야 할 내용이 있다면.

A 우리나라의 국익을 위해 대한민국을 대표할 세계적인 공공지식인을 양성하는 게 시급하다. 과학분야의 노벨상 못지않게 중요한 것이 세계가 인정하는 우리나라 혹은 한국계 재외 공공지식인이다. 국가와 사회적 차원의 지원이 필요하다. 예컨대 해외 주요 매체에 기고문이 실리면 이를 학술저널에 실린 것과 같은 비중으로 인정해주면 어떨까.

● 인터뷰이 33인과의 대담 시기

Chapter 1	로버트 졸릭(Robert Zoellick)	2013.06
	조지프 나이(Joseph Nye)	2011.09
	게리 베커(Gary Becker)	2008.10
	기 소르망(Guy Sorman)	2014.05
	어맨다 리플리(Amanda Ripley)	2014.06
	에이미 추아(Amy Chua)	2014.05
	로버트 루트번스타인(Robert Root-Bernstein)	2016.01
	재러드 다이아몬드(Jared Diamond)	2013.06
	키쇼르 마부바니(Kishore Mahbubani)	2008.08
	애런 프리드버그(Aaron Friedberg)	2012.11
	로버트 코헤인(Robert Keohane)	2012.09

Chapter 2	프랜시스 후쿠야마(Francis Fukuyama)	2013.04
	피터 카젠스타인(Peter Katzenstein)	2008.12
	알랭 드 보통(Alain de Botton)	2015.01
	폴 새뮤얼슨(Paul Samuelson)	2008.09
	폴 로머(Paul Romer)	2012.07
	헤르만 지몬(Hermann Simon)	2014.08
	슬라보이 지제크(Slavoj Zizek)	2014.11
	에마뉘엘 토드(Emmanuel Todd)	2014.01
	이안 부루마(Ian Buruma)	2008.10
	옌쉐퉁(閻学通)	2014.02
	폴 케네디(Paul Kennedy)	2009.08

Chapter 3	비벡 와드와(Vivek Wadhwa)	2017.07
	필립 짐바르도(Philip Zimbardo)	2012.09
	로버트 고든(Robert Gordon)	2017.07
	유발 하라리(Yuval Harari)	2016.05
	제리 카플란(Jerry Kaplan)	2016.04
	해리슨 슈미트(Harrison Schmitt)	2009.07
	리처드 윌킨슨(Richard Wilkinson)	2014.03
	쓰지 신이치(辻信一)	2011.06
	타리크 라마단(Tariq Ramadan)	2012.06
	리처드 하스(Richard Haass)	2017.07
	토머스 프리드먼(Thomas Friedman)	2017.07

대한민국을
말하다